劉福春・李怡 主編

民國文學珍稀文獻集成

第二輯

新詩舊集影印叢編　第55冊

【麟符卷】

暴徒之藝術

自印 1924 年版

麟符 著

【熊閏同卷】

白蓮集

廣州：光東書局 1924 年 12 月初版

熊閏同 著

【毛明山卷】

夏雨集

明星書局 1925 年 1 月版

毛明山 著

【林仙亭卷】

血淚之花

上海啓智印務公司 1926 年 1 月初版

林仙亭 著

花木蘭文化事業有限公司

國家圖書館出版品預行編目資料

暴徒之藝術／麟符　著　白蓮集／熊閏同　著　夏雨集／毛明山　著
血淚之花／林仙亭　著 — 初版 — 新北市：花木蘭文化事業有限公司，
2017〔民106〕
22面／94面／62面／60面；19×26公分
（民國文學珍稀文獻集成・第二輯・新詩舊集影印叢編　第55冊）
ISBN 978-986-485-151-5（套書精裝）
831.8　　106013764

ISBN-978-986-485-151-5
9 789864 851515

民國文學珍稀文獻集成・第二輯・新詩舊集影印叢編（51-85冊）

第55冊

暴徒之藝術　麟符著
白蓮集　熊閏同著
夏雨集　毛明山著
血淚之花　林仙亭著

主　編　劉福春、李怡
企　劃　首都師範大學中國詩歌研究中心
　　　　北京師範大學民國歷史文化與文學研究中心
　　　　（臺灣）政治大學民國歷史文化與文學研究中心
總編輯　杜潔祥
副總編輯　楊嘉樂
編　輯　許郁翎、王筑　美術編輯　陳逸婷
出　版　花木蘭文化事業有限公司
社　長　高小娟
聯絡地址　235 新北市中和區中安街七二號十三樓
　　　　電話：02-2923-1455／傳真：02-2923-1452
網　址　http://www.huamulan.tw 信箱 hml 810518@gmail.com
印　刷　普羅文化出版廣告事業
初　版　2017年9月
定　價　第二輯51-85冊（精裝）新台幣88,000元

暴徒之藝術

麟符 著

麟符，生平不詳。

一九二四年自印。原書長三十二開。
影印所用底本封面與版權頁缺。

「流俗好鄭衛，淫辭自親狎。」

——謝曦

在生活難學術荒的時代，一般承襲偷惰族性而呻吟於返照命運的士的階級，旣不能文，又不能武，祇能努力於「亡國之音」。 聰明的祖先們，好以風雅的興替，占國運的繼絕，或者就是這麼一個粗淺的道理。 在現代一般所嘆爲沙漠的中國，忽然產生牛毛一樣多的詩人，自然也是這麼一個粗淺的道理罷！

沒出息的人對於壓迫不能奮鬥時的解脫法門：一個是用玄想來代替現實生活；一個是毀滅了他自己。 前者較後者爲更墮落，更不澈底。 現代的詩人，當他們食色慾不得饜足時，則求所以享樂空想。 空想出黃金的天國，絕代的佳人。 可惜一夢醒來他們依然生存在這個一切不得滿足的世界上；但在詩人似乎已感到滿足、上，正是爲得斬荊披棘而來。 天國請脊背上生翅膀的去住在，我們重毿的脚跟是立在這個物理化學組織的朴實地球上呵！

「暴徒」這個名辭，是針對着「詩人」而發，是一個奮鬥的弱者。 我的自命爲暴徒，自以爲極其寫實。 所謂暴徒的藝術，祗不過是爲弱者而歌唱。 也就是弱者自己的歌唱了！

五千年前的一天，在黃河北岸，
開始了人類第一次血戰。
戰敗者蚩尤，在鋒鏑之下舉起來他粗的雙臂：

戰士們！
敵人所得的勝利，是所有的勝利。
我們的勝利，祗有兩字——
——『正誼』！

此後弱者都是蚩尤的子孫，
他們的生命，祇感受着奴隸所能感受
的疲勞；
脊背上負載着勝利者所賜與的鞭痕•
『正誼』彷彿在命運深處埋存。

久埋存於命運深處的『正誼』，在弱
者心中
漸漸的燃燒，光明，
弱者醒覺這件寶貴的遺傳，
是祖宗給與的一個光榮！
他們的責任是創造這一個光榮！

現在我們的光榮到了！
要喊出祖宗在鋒鏑下喊出的口號！
誰是我們的朋友？
———認定我們自身！
是誰掠奪了我們？
———認定我們的敵人！

——— 一九二三年末日 ———

「十年天地干戈老，
四海蒼生弔哭深！」

——謝曦

——— 渡淮水 ———

朝發燕水，
暮渡黃河，
醒來又是江北風土！
剪取江河兩半水，
雖柔不似江南；
强不似河北，
抵多少柔風俠骨！

淮泗古來爭戰地，
三千年前劉季崛起，
呼平民揭竿向祖龍，
惡魔消逝咸陽炬。
到而今徐沛芒碭間，
湖山大有英雄氣！

滔滔淮河水，
嶙峋巖頭石，
即此是滄桑眼，
看盡了興來亡去，

到此日看到吾輩！

此日中原遍榛莽腐靈。

安得三千年後芒碭山

　　　龍蛇再起！？

到此日看到吾輩，

　天下蒼生眞是吾輩襟懷事！

　於淮水上，十三年一月七日晨。

——— 哀安南 ———

海濤搖碧，

望長空祇有愁烟如絮。

已凄絕；

更凄絕是聽尙未忘故國的安南兄弟

談四十年前舊事：

——依然讀故國書，

　　　識故國字；

　祇不過作了法蘭西的奴隸！

　曾記取中國皇帝爲我們還殺掉兩個

　失事的官吏：

　　　一個廣東；

　　　一個廣西。

這宛如聚首家人早失迷，

眞唏噓！

　　四十年來的中國與公等何異？

　　同作俘囚，

　　隔着欄籬。

我們來同聲一哭！

人生何處不關情？

最不關情，

　　最是關情處！

十一日五鐘，於海船上。

—— 其二 ——

佛蘭西的巨靈摩掌，

挽住全安南的命脈，

四十年來。

——我們祗有痛哭

於不能抵抗之外！

——我們在吸着佛蘭西強迫的酒精；

默守着用自己血液燃燒的鴉

片烟燈。

——用赤脚踐着自己的國土，

因爲

實在納不起一雙鞋子的重稅！

〰〰〰〰〰〰

他們更放逐了安南男人，

爲是從安南女人身上混亂了安南

的血統，

更唆使他們作滅安南的先鋒！

他們應當是安南人的子孫，

——認賊作父的混血種。

〰〰〰〰〰〰

——爲什麼不起而反抗？

——阿誰不欲？！

這實在要抱怨我們無能爲役的皇

帝！凄惶！

欄裏赴死的小羊，

似聳耳竊聽，

聽出此中慘痛！

欄外溟溟之海濤，

爲之狂沸而怒號！

十二日十一鐘，頻泊厦門時。

——— 鼓浪嶼聽濤 ———

雄濤千萬頃，

上與碧天齊。

亘波頭曉霧淒迷。

如萬馬奔騰千軍入陣，

亂石滾江潮。

怒焰噴發！———

巨靈嗥嘯！

~~~~~~~~~~~~~~~~~~~~

三百年前鄭成功，

奮荒島孤忠，

爲民族盡命，大好頭顱此地拚！

千古雄風遺槪。

試聽！

海天長嘯一聲聲！

~~~~~~~~~~~~~~~~~~~~

縱石銷浪碎，

不可無此激憤，

無此叱咤。

爭奈兩江一河尾閭。

一萬三千里路沿海門戶，
被西方魔鎖，
　　鎖住喉嚨！
　十三日一鐘對鼓浪嶼作。

—— 弔菽園 ——

序——菽園是一建築在鼓浪嶼上臺灣林氏 的花園。總被厦門稅務司勾結一個什麼地主代表名喚洪狗的中國人，借口留置權禁止通行遊覽。 意在刁難園主，攫爲己有。菽園有四十四橋，林壑幽邃，攬勝全嶼。帝國主義之播毒，眞無所不至！感而書此。藉誌悲憤。

附菽園主人佈告　『本園每逢星期日休息日。恒開放以便士女遊覽。茲因與總稅務司交涉之事尙未解決，忽於近日接到工部局來函，停止本園四十四橋之通行；並禁止遊人往來。無端干涉，實違初心！特此通告，實深歉仄。遊園士女。尙乞鑒原！』

全嶼佳處數菽園，

攬四十四橋風月；

當西北膀絕溪山。

祇這一星兒干凈卭壑，

更何堪

再被公等領管？

總歸還是自家醜，

與公等何有！

祖宗遺業，

雙手奉人未解羞，

中國人合應喚作洪狗！

———— 香港祟㭾放歌 ————

登百尋香港祟㭾，俯瞰，

明滅碧海襟帶。

沿九龍一綫，

浩浩珠江東來，

此是黃族一條動脈！

五十年前香港山，

海陬荒巒也！

維多利亞之魔杖，是托地神鰲，

吸海長鯨，

直吸盡黃族動脈血！

嶔屹嶺表有孫公，

等閒視巖江軸艫，

存民族命脈、祖宗片土。

廿世紀之中華————————

夢中世界

曾聽否這一聲空谷謦欬！

南荒百粤，

　　實生豪傑。

同胞！

　　你們要努起力來！

　　十五日一鐘半，於香港山頭

—————— 悼李寧 ——————

露西亞絕代的大慧星平空掉落！暴風

雨打滅荒原中一星熖火！

失掉光明的人們！

來！

沈痛的唱起輓歌！

光明於無可如何而失掉，

前途在暗中摸索！

～～～～～～～～～～～～～～～～～～～～～～～～～～～～～～

侮辱，咀呪，恩怨，

濕將先生一人擔！

作他所有强權的反叛！

二萬五千萬驕主○暴虐着

十二萬二萬五千萬馴奴

———是先生一字讖•

驟掀起滔天的赤血波瀾！

先生給與他遻世朋友的貺賜，不是思

想主義，

更不是立德立功；

祗不過一粒小小的正誼種子，
埋在儒弱者的動脈之中。
生祗作人作雄；
　　死則爲情爲英爲神靈！
　　噫嘻！
　　　李寧生，
　　　　　祗一李寧；
　　　李寧死！
十二萬二萬五千萬李寧！
　　　一月二十五日於羊城

黃花岡公祭

二百年帝黨河山，
一朝遍插青天白日幟！
算來是爲七十二烈𤓰戰血，
這一滴滴血，
一滴滴革命種子
埋在民間裏！

當代如曹吳輩眞不肖子孫，
引豺狼入家門。
亂世竟無賓主。
幸存東南半壁，
孫公一人，
金甌殘缺未沈淪，

酸風楚雨中，
此日有南北俊彥同臨拜掃。
十三年前舊墓道，
愁見花枝老！
二百衆雖肅無歎，

默無言。

知此意有黃花岡，

白雲山！

十三年一月二十七日

花木蘭文化出版社聲明啓事

此次《民國文學珍稀文獻集成》出版，有賴各位作者家屬大力支持，慨然允贈版權，遂使這巨大的文化工程得以開展。我社全體同仁在此向各位致以誠摯的謝意！

由於民國作者人數眾多，年代久遠且戰火頻繁，我社傾全力尋找，遍訪各地，能夠找到的後人，得其親筆授權者，爲數甚寡。更多的情況是，因作者本人下落不明，連版權情況都無從知曉。

因此，我社鄭重聲明：

此叢書所錄專著，凡有在版權期內而未授權者，作者家屬可與我社聯繫，我社願奉送相關贈書 50 冊爲報酬，補簽授權協議。

望家屬看到此通知後與我社聯繫。聯繫信箱：hml@vip.163.com

花木蘭文化出版社

2017 年秋

白蓮集

熊閏同 著

熊閏同，生平不詳。

光東書局(廣州)印刷，一九二四年十二月初版。
原書三十二開。影印所用底本無封面與版權頁。

白蓮集

熊聞同著

卷頭語

且向淤泥種白蓮

——答心——

卷上

雪和伊

雪兒姊姊，
因爲見了你，
便撩起我幻想伊那晶瑩的肉體。
雪兒姊姊，
因爲見了你，
便撩起我幻想伊那皎潔的心地。
伊晶瑩的肉體呀！
伊皎潔的心地呀！
除了雪姊，還有誰能够和伊相比？

白蓮集

肉體晶瑩的伊呀！
心地皎潔的伊呀！
除了伊，還有誰能够把我的靈魂安慰？
雪兒姊姊，
伊究竟住在那裏？
地之角？天之涯？
雪兒姊姊，
你既把我的幻想撩起，
你就應該指示我伊底所在！
十二，一，七夜。

卷上2

晚眺

向晚的斜陽，
又撩起我滿懷愁緒！
强步樓前，
倚欄延佇。

往事心頭來復去，
贏得凄凉如許！
我徬徨的人生，那迷途的小鳥，
一樣地都不知終歸何處？

白蓮集

四顧蒼茫，
此身難主。
幸得天盡頭一朶停雲，
纔把我的心兒遙遙地繫住！

十二，二，十三日。

卷上 4

尋春

到處花園裏的花兒，
都異常高興地開了滿枝。
人們見了，一齊嚷道：
『噯喲！好了！春又歸了！』
祇有我總是這般懷疑着：
『春呀！究竟在那裏纔找得到你？』
司春的女神從夢中告訴我道：
『春麼，她是無處不在的——

白蓮集

她藏着宇宙一切之內，
她罩着宇宙一切之外。』
我聽了之後，醒來越發懷疑了：
『她爲甚麼單單不到我的心裏？』
十二，三，廿二日。

恕了我罷

你是知我的呀！
請你恕了我罷！
我感謝你贈我美酒幾樽，
我感謝你贈我深情一副。
我不敢受你的厚贈，
我祇有求你的寬恕：
恕我微弱的身兒，
抵不住幾回沉醉！

白蓮集

恕我偏狹的心兒，
容不得幾番親愛！

請你收回那幾樽美酒，
請你收回那一副深情。
豈敢孤負你的好意？
唉！橫豎我已經心領。

請你恕了我罷！
你是知我的呀！

十二，四，十五日。

卷上 8

神女泣詩人 題畫

那個配來泣詩人？
祇有這位嫚斯罷。
那個値得嫚斯泣？
祇有這些詩人罷。

這幅圖裏所畫的，
雖是嫚斯單泣嚣俄，
但嫚斯的哀情，
却不祇泣嚣俄一個。

白蓮集

我們可以拿囂俄，
當做一切詩人的代表，
嫪斯之泣囂俄，
簡直把一切詩人也泣遍了。

幽妙喲！她悽婉的哭聲，
比『戀愛之樂』還要好聽。
甜蜜喲！她汪汪的珠淚，
比阿玳兒的香唾還要鮮美。

詩人清苦的生涯，

卷上 10

也給她的哭聲和珠淚所甘化。
祗有詩人的佳句，
纔是她的哭聲和珠淚底代價。

我願做一個詩人，
我不是希罕那生前的虛榮，
我祗想得她音樂似的哭聲
一慰我泉下的幽靈！

我願做一個詩人，
我不是希罕那死後的不朽，

我祇想得她甘露似的珠淚，
一灑我荒廢的墳頭！

十二，六，一日○

舞後

曲終
舞倦
離了氍毹上
回到鏡臺前
拭不盡
淋淋的香汗
屏不住
細細的嬌喘

白蓮集

臂兒怪酸
腿兒怪軟
腰兒啊
停還顫
妝未卸
坐無言
思悄悄
淚涓涓
我的技

卷上 14

爲誰演
我的心
有誰憐
想臺下
喝采沸天
越令我
寂寞悽然

十二，六，十七夜。

不見

祇見伊
幾次
但知伊
名字

慇懃兮
斟酒
謝伊的
雙手

慇懃兮
　擘荔
謝伊的
　十指

雙手兮
　雪白
綠酒兮
　如蜜

十指兮

白蓮集

纖纖
荔枝兮
怪甜

今天兮
依舊
荔枝兮
綠酒

雪白兮
纖纖

卷上 18

爲甚兮
不見

十二，六，廿七日。

酒後的狂歌 有序

十二年，七月，一夜。酒醒後，中心悽然。倚鐙獨坐，念予二十年生涯之平淡，頗與波陀雷爾及魏爾淪少日相似。但未知此後何如耳！因草此歌，以追懷這兩位詩人，并抒寫邇來對於人生之感。

我慕你，波陀雷爾！
我慕你，魏爾淪！
雖然我七尺淸癯的肉體，
負不起你兩位恢譎的靈魂，

但千萬不要拒絕我罷，
你兩位在天上的異國詩人！

偉大喲！酒中的魔力，
是割斷一切愁根的鈎鐮。
神祕喲！酒後的幻象，
是發出一切詩歌的淵源。
我雖是一個羸瘦不才的弱者，
我却慕你兩位斗酒百篇！

儻能和你兩位生在同一個地方，

白蓮集

儻能和你兩位生在同一個時候，
我願做你兩位誠實的僕夫，
終身荷鍤以隨你兩位之後。
你兩位在天上的惡魔詩人呀！
容許我這個不自量的妄想否？

我從前受了虛榮的誘惑，
也曾胡亂地慕過神的莊嚴。
但現在我却知道錯了，
我已反轉我的心伏在惡魔之前。
我要籍你兩位詩人的願力，

卷上 22

使我的靈魂和惡魔融成一片！

你兩位都曾漂泊在巴黎，
我則孤單地蟄處在廣州。
廣州別的雖比不上巴黎，
却和巴黎一樣藏汚納垢。
你藏汚納垢的廣州啲！
你釀就我多少刻骨的奇愁！

滾滾的奇愁，重重的汚垢，
斷不是中庸的神力所能挽轉。

白蓮集

能够徹底的剔垢祛愁，
祇有這一把惡魔的快劍！
那身內和身外的一切喲！
我禁不住要提起魔劍來和你們宣戰！

波陀雷爾呀！若我幸而戰勝，
請拿你的『惡之花』來做凱旋歌！
魏爾淪呀！若我不幸而戰死，
請把你的『秋歌』來追悼下我！
——然而，又何必呢？
成功與失敗都不值得什麼！

卷上 24

裸體與裝飾

曲線的蜿蜒，
　雪膚的柔膩，
眞是好一個
　美人的裸體！

我願以藝術的胸懷，
　擁抱你赤條條的美！
要把你天賦的晶瑩，
　罩上我裝飾的異彩：

白蓮集

拿我萬縷情條，
織成五彩雲衣，
把你的全身，
朦朧地隱蔽。
拿我滿腔熱血，
鍊成一帖胭脂，
把你的兩鬢，
抹上桃花的絳緋。
拿我的膽汁，
製成了綠黛，

卷上 26

把你的雙蛾，
畫上柳絲的青翠。
收拾我的淚珠，
貫以一縷愁絲，
綴成一串瓔珞，
掛在你的蝤蠐，
鉸斷我的柔腸，
當做一條錦帶，
打一個同心結，
束住你的腰肢。

白蓮集

倘有我的心花，
彷彿一朶薔薇，
也摘了下來，
簪上你的華髻。

凡我所有的
都願拿來打扮你。
務把你天賦的晶瑩，
沉淪於裝飾的豔海。
使你從粉淚脂濤裏，
表現出你美之極致！

卷上 28

我的生命爲你情死！
我的靈魂向你皈依！

十二，七，五日。

途中

秋風嫋嫋地吹來，
秋陰沉沉地欲暮，
我獨坐着車兒歸去。
但心緒凄迷無定，
好像不知將歸何處。
忽然有塊薄薄的紙片，
掉落我銀白的襟上。
猛提頭同那樓欄一看，
看見一位妙齡的女郎，

這紙片原來就是伊所放。

在這一瞬的當中，
伊不禁紅漲了臉，
我也不禁紅漲了臉。
眞微妙而難說啊！
這塊薔薇瓣一般的紙片！

車兒轔轔地過了，
臉上的紅潮退了，
襟上的紙片飛了。

祇有這剎那間的豔感，
歷萬刼而難消！

十二，九，二夜。

答心一 有序

心一返自潮州贈予長古予擬用其體答之而未成也因先呈六絕但恐楊柳曉風調難和銅琶鐵板聲耳

三年共學不相識
一旦傾心人盡疑
綠酒盈杯照肝膽
紅棉窓外正斜暉
幾回和淚訴沉淪
援手從今賴有君
露重風多勸歸去

强留弱體護詩魂

不到沉淪不悟禪
鐙紅酒綠即禪天
涅槃豈在言筌裏
且向淤泥種白蓮

偶把禪心悟黛眉
生涯翻惹世人疑
遙知花雨彌天落
不著先生夏布衣

心一有句云夏布衣寬似老衲豈無禪意悟紅粧

塵世勞勞總不平
長歌似哭與誰聽
他年西子湖邊臥
共枕殘經當曲肱
綺語由來違佛戒
丹心終古向君傾
靈山會本無言說
一笑拈花已目成

十二，十，十二日。

浴的三部曲

浴前

過去的汚穢難消，
未來的潔淨難料；
姑且沐浴下罷，
或者能够潔淨當前的一秒。

人間的汚穢難消，
天國的潔淨難期；
姑且沐浴下罷，
或者能够潔淨自已的一體。

浴中

雪白而長方的浴盤，
仿佛一具木棺。
我赤條條躺在盤裏，
好像槁屍一般。

水蒸氣朦朧地上騰，
引起我無窮的奇思。
於是我深深地感得，
潔淨和死同一意義！

浴後

閃爍的鬢影，
把我的視覺昏迷。
酖毒的衣香，
把我的鼻觀痲醉。

我的心不禁一跳，
我的血不禁一滾；
可憐我剛纔浴淨的身兒，
又出了無窮的汚穢之汗！

十二，十，廿七夜。

晚粧 三首

繡閣臨粧對落霞
暗從鏡裏感年華
可憐姊妹矜朱粉
那解紅顏有歲差

飄零殘葉落誰家
幾度停梳問暮鴉
遺事悲涼哀馬克
故將華髻揷茶花

白蓮集

晚風吹掠鬢雲斜
楊柳腰肢束素紗
忙煞鳳鞋穿未就
已聞催上七香車

十二，十一，五夜。

卷上 一

卷下

雜詩 九首

心自清明體已癯
樓前搔首獨踟躕
臨風西望思尼采
我亦東方一病夫

秋風早已到江湄
無奈伊人尚未歸
小立榕陰咎流盼
不勝清怨病魂微

白蓮集

楚雨含情夢豈迷
然脂却愛寫無題
人生多少難言隱
莫道才華誤玉谿

自題手寫李義山詩鈔卷尾

睡起⿰氵厭懨小病清
滿簾花影寫縱橫
幾回夢入空山裏
耳畔偏聞母喚聲
絮果飄零弱不禁
無情飛絮累伊深

卷下 2

他年婀娜成新柳
莫向天涯怨故林
一鐙引夢到橫塘
禿柳橋頭人影長
凋盡殘荷孤月白
水天無處宿鴛鴦
曲屏幽幌夜沉沉
幾陣寒更隔巷深
舊事思量惟揾淚
那堪重展絳紗衾

白蓮集

銀燭孤光照獨眠
垂成冷夢又蘧然
禪機痛定纔能悟
數卷紅樓繡枕邊
十年作客滯珠江
月夜樓頭獨坐忘
身後招魂賴何物
故山幸有女兒香

十二－－十三年。

卷下4

落葉

衰草連天，
斜陽淒苦。
一片落葉好像孤單的蝶兒，
在寒厲的晚風中飛舞。

可憐的落葉喲！
你那裏有飛舞的能力？
一會兒掉下溪邊，
若斷還連地喘息。

白蓮集

可憐的落葉喲！
你的顏色靑黃相半，
令我想像到澤畔行吟的屈子，
那一副枯槁的瘦面。

可憐的落葉喲！
你的葉脈纖弱如髮，
令我想像到茂陵臥病的相如，
那一把支離的瘦骨。

可憐的落葉喲！
你隨着晚風西復東，

卷下 6

令我想像到東海飄零的曼殊，
那一生無定的孤蹤。

可憐的落葉喲！
到如今有誰相慰？
和你相依爲命的哀蟬，
也經先你而長逝。

你和故枝的愛情，
爲甚麼忽然中斷？
暮鴉替牠答道：
『大概遭了寒霜的離間。』

故枝既與絕，
哀蟬不復回。
祇剩得飄零的詞客，
纔了解這落葉的悲哀！

十三，一，八夜。

春雨詞 六首

滴瀝空階感寂寥
芙蓉塘上泛春潮
樓頭鎮日人如醉
腸斷阿師尺八簫

落紅如雨雨如烟
窗下跏趺思惘然
對此傷心無可說
傍人祇當學參禪

白蓮集

柳眠花睡雨溟濛
人比殘春意更慵
怕到去年尋醉處
木棉片片打簾櫳

簷漏淙淙坐夕昏
孤窗無那正懷人
小樓把酒譚身世
回首如今又一春
夜闌人對一燈青
忍聽芭蕉泣未停

屈指清明都過了
薄寒猶自迫銀屏
春來悵惘總無詩
握管聊爲春雨詞
莫譜金人舊時曲
櫻花橋畔夢魂悲

十三，四，六夜。

白蓮集

本事詩 六首

春夢雲鬟照眼明
再來堪恨味平生
有懷未敢當筵訴
却倩傍人問姓名

風雨高樓動綺筵
俛看閶閈盡籠煙
回頭乍見雙蛾蹙
命也何如欲問天

卷下 12

落日城頭酒半斟
六榕古寺晚鐘沉
燈前一笑離言說
證得禪心是愛心

橙露松醪異淡濃
飲來冷暖可相同
東南幽恨三千斗
消在深顰淺笑中

沉思昨夢立殘陽
幾日睽違未可傷

一幅深閨好圖畫
藥鑪茗盌侍阿孃
幽懷如繭倩誰繅
少歷風塵氣愈豪
無限蛾眉須護惜
教人那忍放屠刀

十三，六，十九日。

珠江雜詩 八首

百花墳上草縱橫
曾酹遺碑酒半觥
一自麗人埋玉後
珠江金粉倩誰撐

疎柳前汀策馬過
槳聲鐙影鬧笙歌
南朝未必人皆醉
猶有桓伊喚奈何

白蓮集

獨上高樓衣影朦
隔江謳管雨聲中
烟波何處尋秋喜
愁煞詩人招子庸
子庸身世本工愁
遙繼離騷創越謳
誰爲流傳到今日
謝他珠女好歌喉
天涯形影件琵琶
怕向溪頭憶浣紗

卷下 16

白蓮集

今夜素馨盤髻子
江南兒女嶺南花
歌筵爭唱念奴嬌
絲竹中年感寂寥
從此不揮閒涕淚
美人何用贈鮫綃
多謝吳姬勸舉杯
古愁翻向酒中來
河山滿目傷心事
紅袖當前未敢偎

白蓮集

十年劍膽與簫心
怨去狂來病轉深
笛倦鐙殘人散候
珠簾掩雨夜沉沉

十三，七，二夜。

卷下 18

寄心一潮州

金山嵯峨籠暮靄
山下韓江抱如帶
夜黑江荒孤鶩鳴
夢魂驚墮蒹葭外
憶昔高樓讀書處
白蘭病葉怯疎雨
雪茄煙裏話平生
雨暗燈昏助凄苦
惟君愛我知我深

白蓮集

沉幽纖怨病在心
爲我說病如說法
妙舌蓮花勝灸鍼
六榕塔下酒人家
同看天女散天花
偶然一瓣著襟上
結習未除病轉加
解脫難從文字裏
楊朱別有養生旨
酒爐風調懺昨非
藥碗生涯覺今是

卷下 20

過存病榻意殷殷
風義如君能有幾
去年相見秋風高
今年握別秋風起
別後瑤階露漸涼
美人猶著薄羅裳
月明井畔無人見
自汲寒泉洗淚妝

十三，八，廿八日。

帶醉聽歌篇示若翹

西風帘影裊斜陽
瓶花憔悴洩病香
葡萄酒冷咖啡暖
寥落幸有君同嘗
自從江上別諸友
舊遊無處不神傷
兩旬閉戶媚幽獨
今夕帶醉到歌場
檀板聲中喧白蘭

白蓮集

簾捲愁眉蹙兩彎
紅綻櫻脣歌婉囀
玉簫嗚咽海天寒
憑將法曲傳幽怨
怨在淺靨深顰間
青衫破舊無新淚
回看坐客多歡顏
誰云哀樂有同感
對此不禁成長歎
歌罷酒醒人散盡
路塵撲面西風緊

卷下 23

白蓮集

歸來落葉滿回廊
聚葉烹茶訴衷隱
屈指韶華杯底消
驚心絲竹中年近
陽秋貶筆奈我何
勸君帶醉且聽歌
他年鐵馬餘生返
無復今日朱顏酡

十三，九，六夜。

卷下 24

秋懷 四首

萬里西風百尺樓
詩人身世豈禁愁
殘蟬咽斷山河暮
寒雁鳴哀草木秋
苦茗味回歸澹薄
孤心波定入潛幽
江湄寥落誰相問
冷月無聲在上頭
古壁風鳴綠綺琴

白蓮集

茂陵秋雨病深深
爲誰昨夢成今悔
如此新寒憶舊吟
溝水不傳題葉句
春泥空抱護花心
陶潛已被閒情誤
忍淚東籬望遠岑

當時俊侶今雲散
落葉聲中深閉門
禪榻短檠初入定

卷下26

空階寒蟀忽成喧
青衫斑駮疑花瓣
經卷模糊漬淚痕
一室難春道力淺
羽琌隱痛向誰論

縞衣起看月明中
極目江頭見落楓
歷歷寒星皆拱北
滔滔白浪盡徂東
萬家魂夢生啼笑

白蓮集

十載情禪墮色空
露重風多不歸去
倚闌凝淚送孤鴻

十三，九，八夜●

卷下 28

蘭孃曲

蘭孃偶謫人間世
歌臺高插青天外
入夜笙簫滿穗城
背人涕淚飄珠海
鞠部馳驅繼雪孃
呼來小字口生香
問作明月堪爲姊
居處青溪未有郎
天既忌才尤忌美

白蓮集

屈將色相致人覘
𩯳嵌梨渦淺復深
眉描柳葉嗔還喜
檀板初敲萬籟驚
珠簾高捲立娉婷
冰綃霧縠飄飄舉
玉珮銀璫曄曄明
脚光氍上明如雪
歌喉千囀腰三折
飛花廻雪影伶仃
換羽移宮聲哽咽

卷下 30

汗透羅衣力不支
含情頓足佇多時
深顰怕看人間事
淺笑彌增身世悲
於時燈焰生銀霧
羞顏歌扇遮還露
乍聽輕雷檻外鳴
陡廻倩影簾中去
頃刻流雲飛滿臺
縞衣新換踏雲來
鋅簷跳雨歸鴉噪

白蓮集

錦瑟彈風別鶴哀
悲歡惟肖聲惟妙
一點靈犀通九竅
碧玉何妨出小家
寒枝慎揀矜高調
嗟予病骨不宜秋
欲借清歌一散愁
念彼笑啼難遽遣
教儂哀樂怎歸休
高樓臥雨夢幽獨
窗外白蘭凝怨綠

卷下 32

覩樹思人信可憐
爲伊翻作蘭孃曲

十三，十，一夜。

秋夜吟

秋怨彌天難約束
凝作簾前苔蘚綠
簾裏人懷萬古愁
夜來掩兩臥幽獨
兩意穿簾濕夢魂
夢魂怯冷親孤燭
自拭啼痕看枕邊
玉琴敧側依人宿
爲妨驚醒隔隣姬

不敢起來彈一曲

十三、十，四夜。

晚步

向晚百憂集
一浴神志清
徘徊小園中
夕陽衣上明
舉手撫雙頰
顴骨瘦生棱
低頭鑑止水
纖影寒可驚
養心須寡欲

求道勿以情
昔賢意最切
思之涕淚零
吾傳情遣欲
茲理尤難行
太息且歸去
蛩語屐邊生

十三，十，廿九晚。

夜市四首

晚風如酒氣氤氳
綺陌東頭月一痕
西去銀光籠夜市
詞人心事愛黃昏
迷離光裏飄衣影
浩蕩空中散鬢香
慧骨不禁都會病
年來古血沁奚囊

樓上盲姬空好音
道傍病丐自悲吟
長歌短哭雖殊調
散人西風共此心

鐙邊殘醉證前身
應是詩豪魏爾倫
爲臥雲間瞰鬧市
誤隨緣夢墮紅塵

十三，十，五夜。

六榕塔歌

六榕古塔削如筆
鎭立天南指天北
白鵝潭面霞如朱
摩星嶺巔雲如墨
濡朱染墨氣旁礴
直向空中寫樓閣
寫成樓閣何玲瓏
陸離八寶梵王宮
海風一夜樓閣驚

碎落塔下爲羊城
羊城車馬何喧闐
龕中梵音靜逾清
羊城聲色何迷離
龕中禪意冷逾冰
羊城風雨夜如晦
龕中佛火定逾明
梵音禪意佛火長不滅
車馬聲色風雨收一瞥
他年倦遊鄭安期
手揮麈尾騎鶴歸

笑立塔頂將長鬣
俛瞰蒼茫城廓非

十三、十一，七日。

贈戴平萬

東南涕淚雜春雨
君如飛花我如絮
同把生涯付綺叢
競抒心血爲長句
醉吟未醒已秋風
又向江頭送君去
別來一病世變亟
江上重逢俱太息
前賢傷心每譚空

白蓮集

我輩傷心却譚色
河山縮影入歌臺
聲色悟人過道力
歌臺夜夜同登臨
古今幽恨滿涼襟
弦管廢興關國運
笑顰深淺繫詩心
詩心國運同得失
中宵秉燭論文質
旰衡末世久澆漓
願創人生新戰慄

卷下 44

嘗聞西土有惡花
與君移植來吾華
波陀雷爾今不作
捨我其誰言豈誇
此花他日開婆娑
請君折花我作歌
象牙之塔何嵯峨
參禮詩魔與惡魔

十三，十一，二十夜。

夏雨集

毛明山 著

毛明山，生平不詳。

明星書局一九二五年一月出版。原書三十二開。

夏雨集
O. Liu 1924.
日月文學社叢書第一種

夏雨

目錄

散文詩

詩劇

自跋

T.S.Li 1924

夏雨集

小序

天上正張開黯黑的大幕，
層層疊疊在厚植他們的勢力，
沒有熱烈的太陽了，
更不見蔚藍的青天；
只有孤鴉的悲啼，
在招尋他的伴侶。

風神推波助瀾的蕩漾起來，
蕩漾了沈寂的空氣呼呼作響。
這被氣壓所驅使的空氣，
當然無迴翔自由的餘地；
那些來來往往的，
莫非有神主使不得不這樣吧！

一陣狂風一陣雨，
風也怒了、
雨也惱了！
久鬱思洩的胸懷，
把酸淚瀉也似的落在人間了。
只笑人間太痴了，
淚水何忍作飲料！
從此肺腑間，
長作不平鳴……

一九二四，七，十五
毛明山作於蔭棠軒

(1)

夏雨集

月光

深淺的蔚藍之幕，
閃爍的小星之窔，
一個銀梳的新月，
飄浮在雲天之交。

月梳呀！
請來梳我的愁絲罷。
世間的煩惱無盡，
梳不盡的煩惱呀！

沒有蔚藍的雲天，
就不見月光的皎潔；
沒有汚濁的地球，
就不見月色的淸徹。

星海

黑暗已把斜陽送到別邊去，
地球上的人們全都安眠了。
遠望去，只見得白茫茫一件大衣，
籠罩着宇宙，使牠越覺得美麗些。

雲海是這樣地平和幽靜，
繁星像燈塔般的點綴在海裏。
一輪皓月正圓睜着眼睛，
在睇視這廣大而美麗的夜景。

在那裏閃爍而微光的星下，
或許是我的愛人的故鄉了。
小星啊！請你直射到那邊去，
使她的故鄉更覺得美麗些。

(2)

繁星啊！努力於光明罷！
你們照着落拓的文人，
並且照見多感的詩人；
也有失戀的青年和潦倒的志士，
在你們微光所渲染的山林下嘆息着。
這些都是人間的可憐者，
請你們給他以幇助罷，
給他以僅有的微弱的光明，
使他的血管裏有了新生命。
繁星啊！努力於光明罷！

繁星

假使這是件深藍大袍，
那末大袍上便綴着無數鑽石；
假使這是個無邊青海，
那末青海上便裝着許多燈塔。

你廣大無涯的天海呀！
可有幽妙的波聲濤語？
你閃爍不停的繁星呀！
可有柔媚的橫波微瞧？

我便吹一枝小小的銅簫，
吹起靜默的海水狂嘯！
我更用雪亮的銅簫窺照，
照見羞澀的星光微笑！

夏雨集

繁星啊！
我不懂你忽明忽暗的眼珠，
究竟是我的閃爍還是你的？
參不透的神妙啊！

人間方厭太稠密，
正苦壓迫幾窒息；
如今天空為何蹈覆轍，
分佈繁星也這樣密切？

這個燦爛光輝耀千秋，
那個藏光韜晦隱者流，——
可憐多少失戀客，
　欲明明不得，
　辜負這青眸！
問牛郎何在？
問織女何在？——

君不見烏鵲橋頭，
只有浮雲去悠悠？……

月夜（夢母親）

月色朦朧裏，
我見了我的母親，
笑紋依然，
只見消瘦些。
『母親啊！
你可知愛兒的情懷，
和明月一樣的徘徊，
正在黑暗裏猶豫着。』
她慈祥和藹地溫語：
『愛兒啊！

(4)

相別十七年，
容貌依然——
只是消瘦了不堪！』
月色似被無情的秋雲掩去，
却把我可愛的母親也掩去了！
我正要咒詛月兒，
她在雲裏叫醒我——
月色依然，
只是我的面上添了幾條銀痕。

夢

（一）

夢裏的悲哀，
只剩得淡淡的銀痕
一條，二條……
我很寶貴着，
不忍把牠們輕易拭去；
不知怎的却被月色儘個洗淨了，
於是我的殘夢只剩得一首短詩。

（二）

我似乎徇在搖籃裏，
享受着最甜密的人生；
母親唱着侑眠歌，
安慰我稚弱的心靈。

我似乎在母親的懷抱裏啜泣着，
母親用手拍拍我的背脊，
輕輕地吻着我的前額，
無意之間却把我的淚珠吸去了！

黃昏

好一幅蔚藍雲箋，
塗着變幻的紫金山，
遠遠近近，
濃濃淡淡。
半規明月高掛在天際，
看那衰頹的斜暉，
慢慢兒正向地平線下墜。

搖牀

（一）

當我站在女兒的搖牀的旁邊，
我總要想起母親搖我的光景，
……………………
……………………
老是這麼幻想着，
過去的囘憶宛然！

（二）

我常喜歡搖蕩着搖牀裏的女孩，
也正因了我可幻想舊時的光景；
那時我也不覺得我是在搖着，
彷彿我已被可愛的母親搖着！

淚語

（一）
沒有可愛的母親，
永不會嘗到愛的滋味。

（二）
世間上最可憐的兄弟，
總要算那無母之兒了！

（三）
無母之兒確是天下的不幸者——
可是無母而有母的是…………

（四）
人生最難堪的境遇
是家庭間的岐視和誤會了。

（五）
當心湖清瑩的時候——
人生難得的安靜；
怕底是暴風虐雨一陣陣吹來——
吹皺了一池心波一池愁。

（六）
哭泣是人生最好的安慰，
淚珠入口，又怎樣的甘甜啊！

（七）
最痛心的是欲哭無淚了！

（八）
如能像英雄般慷慨悲歌，
那也很好；
如能像庸人般飲淚啜泣，
那也很好；
可是我不能這樣，
又不能那樣，
於是我的心神是如何的惆悵—無

夏雨集

着。

（九）

三弟呀！你生前的委曲只有你自
己深深地知道吧——
如今我也嘗到這種難堪的苦味，
你所嘗過的。

（十）

在生之原上，三弟呀，你是沒有
母親可依——
現在呢，你却時在母親的懷抱中
了！

（十一）

『人間』便是隔膜的象徵啊！
只少也隔着一層薄薄的空氣呢。

（十二）

朋友！別憂鬱了！
請你以淚代語罷。

別了（譯拜侖原著）

這正是更深憂的文章，
比死別還要悲傷！
祝我倆地久天長——
只是天天驚醒我在孤孀的眠牀。
雖然你的心脈蠕蠕地動了，
你總是很真心地對待我，
我的一切過失或許你知道——
我的痴狂却沒有人能想到；
無論你到那兒去，我的
希望之花總要枯了——
或許跟隨你到那兒去吧。
別了！這樣的離別
打斷了一切的纏綿——

心中的恐佈，寂寞和凋零，
比我欲死不得更爲難堪！

按這是拜倫在一八一六年與其夫人臨別時的贈言，原名 Fare Thee Well，文情委婉；可惜被拙筆譯來，減色不少，這是我應該向讀者抱歉的。

譯者附誌

愛人之心

一潭澄清的泉水，
緊抱太陽在吻着，
——密也似的相思。

青蛙跳落水去——撲通，
水動成波，
織成一圈圈的圓渦。
打碎了片片金光，
依舊盪漾在波濤，
——情也似的難忘。

夏雨集

孤星

碧海蒼天無人跡，
只此一孤星——！
照不到愛人之室，
長留在窗櫺。

愛人啊！請容我
縱情的一吻！
僅僅的一吻——
雖則這一吻或許
落在情火的焦點，
——我也情願。
便毀滅了我的身體，
我也情願！
因爲這種偉大的犧牲，
便是愛的生活的起點。

紗幃上的日光

淡淡的金光，
綣繾在紗幃；
微風噓着，
紗幃飄飄颺颺，
那光圈便下下上上，
更幻成短短長長。

(10)

晚上

血一般的斜陽
　反照溪沙，
白雲來來往往，
　幾隻歸鴉。

一剎那間
青紫的彩霞，
淡淡地籠罩着雲涯；
好像浴罷仙子，
披了薄薄的絳紗，
在天海裏泛槎。

去了！人去影杳，
魚白的天色模糊難瞧！

我要說的

把霧幃深鎖？
把霧幃深鎖！
孤另另地只剩我。
看那萬家煙火瀰漫空際，
正在擴張那黑暗的巢窠…………

我要說的，好像：
『……………』
這心絃的顫動，
只有心中人會意吧！

我要說的，好像：
『……………』
這無言的沈默，
只是眼淚的結晶吧！

知己

我從來不相信世上有『知己』，
連我自己亦不相信是知己。
不能知己的人啊！
你們渴望着『知己』，
——渴望着鏡中明月；
可是這仙國
並不是你的家鄉啊！
——除非地球毀滅了。

夕陽殘照裏的天

封塔

蒼翠的高塔
浸洗在斜暉晚霞裏，
薄薄的秋雲
劃繞着衰頹的暮氣。
薄薄的秋雲
圍繞着衰頹的暮氣，
孤獨的歸鴉
何處去找生底安慰？
蒼翠的高塔
浸洗在斜暉晚霞裏，
兀然的站着
黑暗把他藏在懷裏。

飄墮的槐花

灰白的臉兒
顯示着失望與懊喪，
失戀的回憶
更添得兩頰的焦黃！

最好是不開那幸福之花！
羡滿的結果究竟在誰家？
大地上陡然添了一羣失戀者，
老樹却爲他們多了一番興嗟！

秋風秋雨
把大地打成一片汪洋，
無意之間
他們又想會聚在一方。

他們可曾想到依依樹上的光景，
懺悔那『俯首弄姿蛾眉不肯讓人』
？
如今飄墮裏倒覺相憐又相親，
大家手握手的任那裏表深情。

窗外的梧桐

昂然的氣概
表現着蒼老與雄遒。
羞看那綠陰底下的小草，
正在折腰與搖頭——
他越是老氣橫秋！
北風儘管吹蕩着，
牠終不肯把背兒微僂。

在寂寥的深夜裏，
在微朦的疏雨裏，
依稀有清新的琴音，
正在奏着「秋窗夜話」，
或是坡仙的「古琴吟」？
我纔悟到無絃琴的美妙，
尤能鉤起我孤獨的心靈，
發出一種共鳴的回音。

按「秋窗夜話」「古琴吟」都是古調。

蜘蛛

（一）

屋角簷前，
滿張着縱橫交錯的銀絲，
正和那繁華街市的電綫，
一樣分岐——
殺人陷阱，
一樣危險！

殺人的陷阱
一處一處……
我們只曉得蜘網可怕，
我們只笑那蚊蠅無知，
殺人的陷阱
一處一處……

夏雨集

吸人膏血，
大腹便便！
怕底是膏血又變了毒汁，
又把歡舞的蚊蠅來毒斃。

博物家的定評，
幸勿沾沾自喜——
他們喜歡借刀殺人，
說來說去總謀自私！

「吾殺人子多矣」！
還要自殺其子——
人我互相乘除，
殺人無異己殺。

一絲絲紡出，
一絲絲織成，

這不是美術的結晶，
只是些兇狠的惡跡！

狂風打過，
吹作絲絲……
你雖不忍見這破碎山河，
我却好玩那空中的飛絲。

（二）

敬告弱者：
趕快聯盟預防！
你們是他的生活之供給者，
別再給他以麵包也就夠了——
你們愛自己，
愛同胞，
愛你的子子孫孫
都應該這樣做！

夏雨集

敬告弱者：
別再以刀授人了——
供給強者以殺人的工具，
這慘劇的罪過應由你召。

秋葉

（一）

白露沾在秋葉上，
好像明珠走盤；
這綠草的運動場，
且看仙女跳舞。

（二）

白露沾在秋葉上，
好像久旱下雨；
葉兒不時的貪嘗，
正如小兒飲乳。

（三）

白露沾在秋葉上：
好像醺人屠蘇；
葉兒醉臥在眠牀，
露出白裏紅膚。

（四）

葉兒紅醉了！
北風吹着，
秋陽曝着，
她終是一般的不醒了！

（五）

葉兒紅醉了！
小鳥喚着，
流水喊着，
她終是一般的不醒了！

（六）

葉兒紅醉了！

(16)

幹兒撼着，
　枝兒搖着，
她終是一般的不醒了！

（七）

葉兒酥醉何時醒？
莫非是淸寒沁骨，
故意把花露當酒喝——
麻醉這自懦的心靈？

（八）

葉兒酥醉何時醒？
莫非陶醉了秋景，
要把靈肉一致跟秋去——
那管老樹的短歎長噓！

（九）

葉兒酥醉何時醒？
莫非是夢見了春花的伶俜，
便隨着送春的花兒送秋去——
　可是那裏去找你安身之處？

（十）

遲了！
如今去追求春花
也已遲了——
但是你總要去追求纔是。

秋夜

銀白的月光
冷淡地照視地上，
烏雲像峯巒樣的
橫障天杭——
一聲聲傳來吹號，
吹起我毛髮俱悚；
一句半句如哭的吠聲
又怎樣難堪啊！

集　雨　夏

受傷的心

一縷夢思正飄浮在茫茫的天空……
聽到外面婦人的悲痛，
我纔由半醒覺狀態裏，
依稀我是在我的房中，
在我的家鄉的臥房中——
心靈陡起了無限的怔忡！

睜開眼來看看自己罷，
原來我還是飄泊的孤鴻！
牆外行人的生澀歌音，
似唱非唱地和着蕭瑟的秋風，
中天明月又怎樣的淸寒冰凍——
一縷夢思正飄浮着茫茫的天空……

你潔白無玷的冬雪喲！

——序何著冬雪集——

（一）

罪惡浸透了人生的表裏，
塵土滿佈着不祥的種子，
你潔白無玷的冬雪喲！
快掩住了人間的卑鄙。

（二）

人生原是罪惡的結晶，
不祥的種子滿佈着囂塵，
你潔白無玷的冬雪喲！
快把那齷齪的大地洗淸。

(18)

（三）

我們飽嘗了冷酷與讒謗，
柔弱的人生何消說抵抗！
你潔白無玷的冬雪喲！
倒敎我胸懷舒暢舒暢。

（四）

『請把痛語從頭細說吧』！
過敏的神經又怎能相忘？
你潔白無玷的冬雪喲！
我的思潮正如你的雪浪。

（五）

你潔白無玷的冬雪喲！
快給我以永久的陽春之光——
我們渴望着黑暗中的一線
永久永久陽春之光。

（六）

你潔白無玷的冬雪喲！
謝你鼓勵我希望——
悲樂循環在大地
好像大地環繞着太陽。

（七）

你潔白無玷的冬雪喲！
世界正在招你喲——
請保持你光明的度態，
幸勿爲泥土沾污。

（八）

你潔白無玷的冬雪喲！
公道的表彰尙待時日——
我們或是飛向永恆
黑暗的永恒的白雪。

夏雨集

——按何君欲白父冤，而著痛語與冷酷二篇；再加舊作詩歌，彙為一帙，名冬雪集。

紙船（其一）

當我少時，曾用了紙船
摺成一隻一隻的小船，
飄浮在微波盪漾的缸裏，
船兒也照樣地盪漾着……

此後那小船漸漸兒
裝着悲哀與悵惆，
裝滿了這隻，
又裝滿那隻——
看看往昔盪漾的缸上
已沒有她們的影兒了！

(02)

紙船（其二）

我的腦海裏時常飄泊這隻紙摺的船兒，在波平浪靜的時光，坦然地駛到思想島上，游歷了許多勝景，採些美妙的花果，欣然歸來！

不知怎的却引起了潮兒的嫉忌，掀起那風波雨浪一陣陣打擊船舷。那時碧海蒼天，四顧茫茫，我的船兒只是努力地掙扎着；却又緊緊地抱着採得的花果，不忍捨牠落在凶猛的潮兒裏。……終至慢慢兒向海底沉去，她仍舊不願做潮兒的降服者——花果依然緊貼在她的懷裏，海面上發出像花果一樣的水沫與浪花，正想引誘那潮兒，使牠越覺得難堪！

潮兒盼望着花果，哭得像淚人兒一樣，通宵徹夜的澎湃鼓盪，逕向海底打撈着。那隻灰色的沉船，忽然發見在對面希望島旁的沙灘上。慈愛的太陽給她以和暖的溫度，英颯的風兒給她以振新的空氣，於是她便慢慢兒復活起來——花果依然在她的胸懷，周身還印着許多淡紅的影兒，或許這花果已經繁殖在她的身上了。

於是她依然漂浮在浩蕩的海面上……………

心痕

天這般久，地那般長，時間是繼續不斷的，空間也是渺茫無際的；只有這小小的人生——蜉蝣的人生……

蝸牛或許不懂牠命運，所以這般地爬，螞蟻或許不懂牠生命，所以那般地跑；只有可憐的人生——半醒的人生……

如其生命是苦的，我可不會知味；如其甘甜而醅郁的，我也不是饕餮！什麼苦和甜，徒形成意義的空虛。

人生眞是夢呀——或許還是夢中的夢呀！太戈爾說：「夢是眞實的想像，一切實物都非現實。」那崇拜夢的詩哲，也許是夢中的夢呀！

懺悔

一絲絲垂柳，一寸寸心灰，胡不歸？胡不歸？杜鵑聲裏無限悲！怎禁得無情的東風拂亂了絲絲柳條，吹皺了一池春水一池愁！偏是永久地牽住着，靡靡然不知所之；沒奈何迷惑着，徘徊在那柔荏而婀娜的垂枝。好像那迷途的小鳥，留戀在將落未落的黃葉和褪紅而半白的慘淡之花。在烟霧迷濛間，看那蜜蜂的採粉，蛺蝶的弄花，以爲眞實地愛之流露了；便不知不覺地唱出細弱而單純的曲調，在大自然裏飄浮而游蕩………

飄呀！蕩呀！空虛而無限，宛如一縷輕絲，向着無窮流去——倦眼惺忪，音調也細弱至於不可聞了。一剎那烟霧消散！問蜜蜂何在？更不見蛺蝶了！聽那黃葉辭林白花墮地的蕭蕭微聲，却打斷了小鳥的好夢。醒來罷！啁啁啾啾地做了禱告，懺悔道：『以前種種，譬如昨日死；以後種種，譬如今日生。』

(23)

酖酒

「飲酖止渴」這句話，在悲哀者的心裏是一種無可奈何的安慰；却不是隔江覩火的諷譏話啊！至多也不過是一句不澈底的隔膜話吧！

我明明曉得這是酖酒，這是殺人的酖酒，專給自殺的人飲的；我却相信牠有止渴的效力；雖則這效力，只有一刹那的延長，我却歡迎牠，看牠當作仙露，便痛痛快快地把牠喝完了！

在悲哀者的心裏，只要有刹那的愉快，便是整個人生的最有價值的一片！否則也不過是多愁多累的人生的奴隸吧！所以我看酖酒不是毒物，不是殺人的毒物；最可怕的是使我們不得不去飲這酖酒的勢力·既然中了這種毒根，我們雖欲不飲便也不可得了！

幾個心理學家，醫學家，也曾試驗過牠的確不是毒酒。世人啊！你們別埋怨酖酒，殺人的並不是牠呀！

復L君（散文詩）

風的沙沙，蟬的嘰嘰，自已不曾有什麼戀念；我們偏偏代牠設想着，甚至惋惜着，也有借牠來發洩自已的感慨，這正是無聊之於無可辨解的了

話雖如此，心卻是相反的。我們生活在那無聊的人世間，只有無聊的感想，或許可以暫時地安慰着——否則也不過是無聊中的更爲無聊吧！

所以我們低低地唱着：『我愛你，我和你同伴。』高高地唱着：『謝謝你！我底愛我的人，我底安慰者！』——然而安慰也不過是安慰罷了；風終究是這樣地沙沙，蟬終究是那樣地嘰嘰……

按風聲蟬聲都是L君原詩裏的話。「我愛你，我和你同伴。」「謝謝你！我底愛我的人，我底安慰者！」也是L君的原詩。

作者附記

夏雨集

(26)

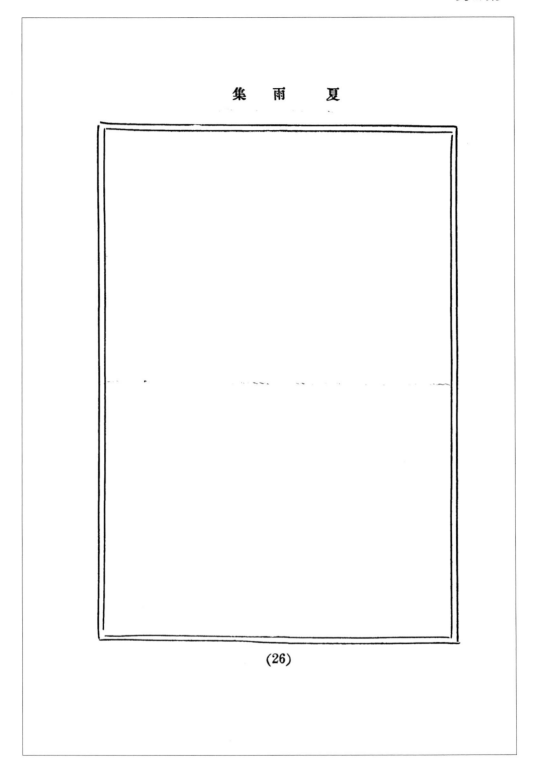

雷雨

「我們都被時間和恐怖忽弄了！」
——拜崙的曼弗雷特

登場人物：
風伯
雨師
電神
雷公
山靈
詩人
魔鬼（一光，二愛，三花。）

時間　夏天的晚上。

第一幕

佈景　山之一角，下臨溪流。

詩人　獨立地垓上，低聲唱道：

『山這般地雄遒，
水那般地温柔，
他倆何綢繆？
長保此風流！

「仁者效山智者效水」，
這句話眞是知心啊！
雄渾高超和純潔，
柔愛圓轉和甜蜜，
這件件都是他倆的象徵喲！
英雄與美人的喜笑與哭泣。

自然的英雄和美人，
比較一切的更深情，
歡笑時擁抱着；
悲泣時擁抱着——
任他春宵和夏晨，

秋雨和冬晴
相見總相憫，
相憫復相親。

山靈　從後面山腳上隱現出來。

『啊啊！
書獃在此做甚麼？
明明是山又是水，
爲何指鹿當作馬？
無端呻吟算甚麼，
世間何用此詩魔！

詩人

『世間的一切，
何莫非我詩？
說眞眞何在，
說幻也成痴！——
英雄與高山，
美人與流水。

山靈

『凡人啊！
任你怎樣說，
終脫不了凡人的詩思；
你眞不懂高山與流水，
糟蹋了天使！

詩人

『高山與流水，
英雄與美人，
說起有情都有情，
却說無情也無情。
造物看來本同仁，
管他超世與紅塵！

山靈　轉身探看山的那面。（台內雷聲隆隆，台前電光閃閃。）

『戰霧瀰漫了大地，

可憐生[illegible]又糟了！

詩人

『不！決不！
這是造物的至美了！
白雲的倉皇，失色，
烈風的狂吼，怒摔，
五色的電光不停地閃着，
凱旋的雷聲更番地響着，
一陣陣如瀉的暴雨，
淹沒了青溪與幽谷。
這自然的戰局，
是駭人的工作！
是剎那的變作！』

山靈

『我要傳集衆神同思籌，
告訴他事由，
好把未雨先綢繆。

（滅形了）

詩人

『哈哈……
他去了！
何苦再自擾，
不爲世人笑？
「會當凌絕頂，
一覽衆山小。」』
（攀緣而上）

——幕——

第二幕

佈景　山的又一面

魔鬼（光，愛，花同上）

光

『我是天下的至美者，
也是一切的主使者，

夏雨集

時而在熱烈的太陽裏，
時而在淸涼的月兒裏。
我在閃閃的小星裏，
窺望那人間的秘密，
我也曾鑽進情人的雙波，
如電的光芒一波又一波！
我的跑步比人快得得，
比飛鳥的直掠快多多，
比急湍的流水快得多，
比一切的聲浪快得多！
世界將要變成黑暗了，
假使沒有我——
一切都失蹤，
色相也成空！

愛

『愛是不爲時空所限制的
愛是超越一切的天使喲！

「黑夜有千眼，
白晝惟一眼；
一旦陽光熄，
世界亦絕滅。
千絲萬緒想，
只此一顆心；
一旦愛力失，
靈光也陸沉。」（註一）

花

『這是最普遍而最高潔的名詞，
像我這樣的稱呼！
薔薇的嬌豔的粉額，
幼女的玫瑰的紅頰，
卻都是我的化身喲！
我要用我的精靈，

(30)

栽培那社會之花，
栽培那國家之花，
栽培那世界之花！
願我的精靈走遍了世界大地，
留下自由的種子，
繁殖那自由之花，
盛開在這自由的樂園中。

詩人　忽現在山顛上。搖搖他的腦袋，在聽他們的歌唱：

光愛花（合）
『自由是我們的家鄉，
博愛是我們的慈娘，
和平是我們的願望，
這都是人生的明光！
因爲有了這樣的明光，
於是世界便地久天長！』

詩人
『你人生的魔鬼啊！
別再飛長流短了！
光明永不會射到灰色的路上，
愛神也不願脫卸了她的武裝，
花是剎那間不懂世故的幻象，
眞理可咒詛的一切喲！
你們別再咒詛人生了！
因爲「人間所有的光，的花，的愛，
都依附在這迷惑的根苗上。」』（註二）

——幕——

註一譯鮑迪隆原著
註二引用俞平伯的迷途底鳥的頌讚

第三幕

佈景　雷雨時的景象。(油畫)
幕開時電神，雷公，風伯，雨師同在。

電神
『我是光明的革命家，
一個劇烈的革命家！
打退了繁星與孤月；
戰勝了斜陽與晚霞；
驚走那奸邪，
鎮伏那龍蛇！
無物敢隱遮，
並非我自誇！

雷公
『霹靂一聲天下震！
驚醒昏迷的民族，
前進！前進！
狂跑如飛駿，
震雷作軍鼓，
鼓舞那烈情的才儁，
前進！前進！
莫辜負了雲天戰陣！

風伯
『掃開了穢氣，
撥開了熱霧；
灌注清涼的空氣，
到那熱濁的人間。

雨師
『生於大海或小溝，
居在自由的浮漚，
「前不見古人，
後不見來者，
念天地之悠悠，

獨愴然而涕下！」（註一）
重到人間遊，
不堪滾滾流！

電神雷公風伯雨師（合）

『呵！呵！……
我們願用刹那的情火，
驅逐人間的病魔，愁魔；
更恨那擾人的情魔和詩魔，
眞是人間不可救藥的沉疴！
可憐作繭自縛的人生啊！
你們只能從甕裏發出無謂的
嗟嘆，
却不懂你自己是一個可憐的
甕啊！
惡魔是『與生俱來』的，
繁殖在人間的山河，
呵！呵！……
快搗碎魔鬼的巢窠！
快搗碎那魔鬼的巢窠！

（一時雷電風雨合作起來，臺昏上暗；只有電光閃閃，雷聲風聲和雨聲，嘈雜約十分鐘之久。）

三魔鬼（光，愛，花）和詩人逃了！（作狼狽狀，向臺右跑過。臺上忽明，染血的斜陽，照耀在西方。）

山靈 忽現在山頂上。

『夕陽之神，
正在精心地，撰他的文章呢！
把滿山紅霞，
舖作滿江紅錦，
說他是垂死的留戀嗎？
但是何曾有些兒暮氣呢！

——幕——

註一陳子昂的登幽州台歌

註二這是郭紹虞的暮氣，

（完）

七夕

『這個世界滿浮了更多的悲泣比着你所能了解的。』

——夏芝的竊盜

登場人物：

郭翰

牛郎

織女

靈鵲仙子

仙女十六人

時間　七月七夕

第一幕

佈景　古式庭院之一角。明月當空，疎星點點，輕雲一抹，白練千里。下臨小池，波平如鏡，旁植數槐，葱綠可愛。池中銀月與綠蔭倒映成象，幾不辨孰眞孰僞。

（臺內奏倍安文 Beethoven 的月光曲 MoonlightSonata 或中國古曲月兒高。）

郭翰　（晉時書生裝扮。幕開時他一人獨臥竹榻上，糢糊地發出一種囈語：（註一）

『遠近都洒滿了皎潔的月光，
那條穎薄的雲影橫在天杭。
月姊姊啊！你的淡裝
却掩沒了織女的容光，
織女啊！
佳期難會休遺忘。

夏雨集

請看今夜月色倍有光，
更有希望——
烏鵲橋旁，
穩渡牛郎。

啊！天女！
你當眞來了，
請受小生一拜。
（台內奏歡迎曲或思凡）

織女　自上冉冉而下。
『朝織雲錦，
暮織天衣！
雲錦非錦，
天衣非衣。
『停翠梭兮卷霜縠，
引鸞杼兮割冰綃』——（註二）
如今奉命游塵囂。

願結良緣，
永彈琴絃——
祝年年此日，
此日年年。

郭翰　作驚愕狀。徐覘其衣，自
上而下。
『這雲中白鴿，
這天半仙霞，
使我心醉，
使我眼花。
這薄薄的雲紗，
好把她肉色遮；
却看不見針縫啣，
更使我萬分疑訝。

織女
『我收拾那晨曦與晚霞，

夏雨集

編成了一條條的輕紗，
把滿天織雲
渲染在滿江月色，
編成一條條的素麻；
我便用輕紗和素麻，
織成這件無縫的袈裟。

郭翰：
『我的心已經不能自主了！
或許我的心已爲你有了！
(向前摟抱；忽不見織女，於是
他仆倒在地上了！)
『哎呀！
吾愛！
負人太甚了！
…………
織女　由天空中發出聲音：
『你凡人的子啊！

愛不是這樣尋求的，
也不是這樣歸宿的。
愛像明月的無私
普照而光明，
又像大海的涵蓄
寬博而晶瑩；
愛不是薔薇的微笑，
也不是玫瑰的嬌啼，
這件件都給蝴蝶去愛罷！
你們人類何必學蝴蝶，
而况我是天女啊？

郭翰、
『可敬可愛的天女喲！
我的靈魂已受你的洗禮了！
你的教訓比一切的媚語更妙，
你的嚴拒比一切的安慰更好，
願你也像月光的普照，

(36)

夏雨集

海水的寬博，
　恕我唐突罷！
織女：
『聰明的凡人，
　願寶貴你的青春——
　　上帝有命，
　　卽當回宸；
　只是無以爲贈，
請受我的七寶枕！
願年年今夕，
天上人間再相見！
郭翰　接受七寶枕，不停地吻着
。
『雖然你的心脈蠕蠕地動了，
你總是很眞心地對待我。
我的一切過失或許你知道，
我的痴狂却沒有人能想到；

無論你到那兒去，我的
希望之花總要枯了——
或許跟隨你到那兒去吧！（註三）
織女　在空中發音：
『你凡心未脫，
休想做菩薩；
且學乃祖郭汾陽，
富貴榮華傳衣鉢。（註四）
莫效漢朝張博望，
乘槎直達繡門闕。（註五）
我今履空歸去也，
只留青雲與白沫。
郭翰　一驚而醒。
『一場春夢，
　過眼成空，

夏雨集

空卽是色，
色卽是空。
只見那「微雲淡河漢，
疎雨滴梧桐，」
這就叫做灑淚雨，
落在人間點點紅！
（台內奏夢想曲Dream March或
梧桐疏雨 The rain Which Falls
down From the tree

——幕——

註一 全幕劇情見靈怪錄及尙友錄。
註二 王勃的賦
註三 這是拜倫原著Fare Thee Well
的第二節，全文見前。
註四 見感遇集。
註五 見荊楚歲時記及博物志。

第二幕

佈景 月照銀河，羣星隱約幾不
能辨，遠遠地影射紅樓一角
，綠蔭半掩，却不知其深奧
。
（臺內奏鳳求凰，或關睢）
牛郎 先現星光於河西，內唱：
『黃牛背上好優游，
橫笛一聲已是秋；
自嘆有家歸未得，
淚泉好似銀河流！
（幻化爲牧牛郎，現
形臺上。）
悔不該草率成家，
又把十萬聘銀賒！（註一）
誤人誤己，

(38)

夏雨集

我心如麻！
恨底是金錢毒如蛇，
婚制總嫌奢；
試問有多少曠夫怨女，
天上人間同興嗟？

如今倒有幸了！
請聽鵲報語呢喃，
愛神降臨疾如飆！
一年容易再相見？
七夕佳期兩意酣——
好把離情暢談！
把離情暢談！
（滅形了）
織女　先現星光於河東，內唱：
『金風吹袖冷，
玉露滴花香，

「本來銀漢是紅牆，
隔得盧家白玉堂。」（註二）
（幻化爲仙女裝，現
形臺上。）
悔不該嫁後廢織紝（註三）
東西分飛歲月遷！
淚落銀河滾滾去，
可到河西英郎前？——
「昔時橫波目，
今作流淚泉。」

今朝鵲語臨妝鏡，
可是英郎歸來時？
英郎一別我心癡，
癡到無言倍相思！
我心望郎
郎可知？

(39)

夏雨集

（滅形了）

（一時滿臺都是喜鵲，並有仙女十六人作天魔舞．（註四）台內奏蝶兒曲 Butterfly 或河邊之游 The Beautiful River

郭翰　徘徊在臺之下方，（紅樓的一邊）並締穩舞女的歌唱。

仙女　十六人合唱：

「迢迢牽牛星，
皎皎河漢女，」
「盈盈一水間，
脈脈不得語。」（註五）
我舞嘽緩又征伀，
好敎牛女雙星渡；
「金風玉露一相逢，
便勝却人間無數」（註六）

郭翰　在下面吟咏着，隨口和道：

『笑他牛女雙心印，
天上人間一樣癡！
只是我孤另另地，
沒奈何儘付相思。

仙女　繼續地唱下去：

『我歌月徘徊，
我舞影零亂；
醒時同交歡，
醉後各分散！』（註七）
「爭將世上無期別，
換得年年一渡來，」
七月七夕天河配，
牛郎織女笑顏開！

（這時鵲橋已成橫貫天河。

(40)

烏鵲也有情，
　浩橋相歡迎，
看今夜銀河耿耿，
　正他倆海誓山盟。
郭翰·
『萬里無雲浸銀輝，
　良辰美景思依依，
「鴛鴦機上雙星渡，
　烏鵲橋邊一雁飛。」(註八)
牛郎織女合唱：(這時並立在橋上)
『綿綿此恨兩心知，
　應悔從前意太癡！
「可是仙家好別離，
　故教迢遞作佳期」。(註九)
自古道「人生得意須盡歡，
　莫使金樽空對月」；(註十)

須記取「天家仙會有多少？
未到平明先別離！」(註十一)
可嘆人間好謬訛，
明朝瓜上得金梭，(註十二)
「年年乞與人間巧，
不道人間巧幾多？」
最癡是明皇與貴妃，
說什麼「七月七夕長生殿，
夜半無人私語時：
『在天願作比翼鳥，
在地願爲連理枝！』」
那知道在天難作比翼鳥，
在地難爲連理枝，
「天長地久有盡時，
此恨綿綿無絕期！」

郭翰　仰頭望雙星。

『雙星啊！
且莫悲，
今朝有酒今朝醉，
人生行樂須及時！
莫辜負了蒼天好意，
白誤了會合佳期。

(台內奏陽關三疊或Good Bye)

——幕——

註一　見荊楚歲時記

註二　李商隱詩句

註三　見荊楚歲時記

註四　古舞名，上海滬江女子體育學校曾演過。王建宮詞：「十六天魔舞長袖。」

註五　都是古詩

註六　秦觀詞句

註七　李白的月下獨酌

註八　見宋之問的明月篇

註九　李商隱詩句

註十　李白的將進酒

註十一　范蜀公詩句

註十二　見祕閣閑話

第三幕

佈景　微光朦朧，隱約是古式庭院。

(台內再奏夢想曲Dream March及朗朗天星Twinkle, Twinkle, Little Star

郭翰　輾轉竹榻上，從半醒覺狀態裏發出模糊難辨的話兒，依稀是這樣說：
『「鳳凰台上鳳凰遊，
鳳去樓空江自流！」(註一)
牛女不知何處去，
上天下地徒悠悠。

問風流安在？
更不見情意了！
「那些來來往往的，
莫非有神主使不得不這樣吧
！」(註二)
(靈鵲在他的頭上飛掠過去。
(自右而左)他起身探望着。)
『呵！你有情的靈鵲喲！
可有牛女的情書暗投？——
赤條條的裸體原形，
好隨着雙星祝白頭！(註三)

(靈鵲又飛回過來。(自左而
右)他便跑到台口來望靈鵲
，微搖右手，作欲擒狀。)
『來！我告訴你：
你何不飛到天河旁邊，
造成一架歷久不毀的橋梁；
或是把毛羽織成渡船，
一往一來幽會在水之一方。

那裏是精衛？
快把愛河填！——
填就一方情田，
好教兩心酣眠。

願天下有情人
都成了眷屬，
……………

夏雨集

靈鵲仙子　忽現裸體原形於台側

，笑迷迷的走近郭翰；

郭甚驚愕，相對移時。

郭翰：

『你可是我愛的織女嗎？

爲什消瘦到這般地步！

呵！

愛是食心葉的蠶兒，

又似殺青年的利劍，

你可是我刻骨相思的織女嗎？

爲什消瘦到了我這般的地步！

——然而我們還是愛，

愛便是我們的最始和最終了！

靈鵲仙子　隨舞隨歌：

（台內奏蝶舞曲或Sonata in F.）

『我不是你愛的織女，

我却是愛你的天使；

因爲愛你，便把愛你之心

來愛你所愛的織女——

我不是織女，

我却是超度織女的寶筏；

我不是愛神，

我却是引導愛神的天使。

你可看見血一般的通紅的心

花，

血一般的通紅通紅的熱情之

花？

都化做紫紅而斑剝的朝霞，

散布在朦朧而微白的天涯！

郭翰：

『呵！這慘白的天衣，

點滴着別後的血淚——

夏雨集

「揉碎桃花紅滿地」！
這碎紅是怎樣驚心喪魄的遺
跡喲！
薄情的世人故意把啼紅作嫣
笑——
不！還不祇薄情簡直是無情
了！
你看！那般自命爲人間的詩
人，
正想坐在青草地上看看天表
，
還正想讚美這飄渺的紅雲島
。

靈鵲仙子：
『讚美固失眞，
　憑弔也不情，
那虛僞的憑弔與讚美，
又何必勞那虛僞的人！
　笑他人間太可憐，
　猴子何必學夫人，
說不盡歡喜悲哀無限情——
那提防喜笑怒駡皆失眞！
雙星自有雙星緣，
底事關卿不忍眠？
　快樂似雲烟，
　別後各成仙！

郭翰：
『不！決不！
　君不見牽牛郎，
　依舊牛車頭？
　口吹玉笛橫，

夏雨集

吹起滿江愁！
又不見織紝女，
依舊機車頭？
手織金梭舞，
織就滿天愁！

靈鵲仙子：
『君不見你的心頭，
依舊一塊幻石頭？
靈性已失不復返，
此去人間長悠悠！
（右手一揮，便把郭拋在萬丈深潭。）
（滅形了）

郭翰：
『哎喲！
救命喲！

（一驚而醒。睜眼開時，東方微白；月色無力地橫躺在黑雲裏，星光淡射于眼臉上。）
（台內奏晨鐘 The Morning-Bell）
『日有所思，
夜有所夢，
「渺渺兮余懷，
思美人兮天一方！」
可憐杳渺的希望，
正如慘淡的星光！
我願朦朦昏昏地
長住在我的夢鄉——
夢見我可愛的仙娘，
與她的可愛的牛郎。
我願見天國的鴛鴦，

(46)

夏雨集

永伴在天河的中央；
于是我慘白的臉兒，
便射出萬道的光芒！

不！夢想！
不是重又入夢嗎？
聽！諦聽！
「無邊落木蕭蕭下，
不盡長江滾滾來！」——
借了他人酒杯，
澆自己的塊壘！

大地已佈滿了鄉愁，
安排着白花與黃葉；
萬物飽帶了一身秋
斷續地風聲與雨滴………

(台內奏秋夜 An Autumn Evening

註一 引李白的登金陵鳳凰臺
註二 引本集小序
註三 爾雅翼：相傳七日牽牛與織女會于漢東，烏鵲爲梁以渡，故毛皆脫去。

夏雨集

自跋

夏雨集是我在一九二四年夏間的一個晚上，感着雷雨的美化而作，陸續發表在報上。

仝年七月整稿、八月付印，翌年一月纔告竣。時隔半載，始行出版，我對於預約諸君，實覺抱歉萬分！

原稿尚有小說六七篇，現在只把詩和詩劇收入；倘有機會，容再出小說集一種。

此外尚有讀夏雨集兩篇，係王玄冰T・S・二君所著；因都是奬譽之辭，恕不附載。順便，謹向二君道歉。

本集雖經校勘，謬訛誠恐難免，望讀者諸君留意。

最後，我要謝謝爲我畫封面並鼓勵我出版的李超君。

十四年一月二十日校後誌此，

明山。

(48)

勘誤表

頁	欄	行	錯誤	改正
二	上	二	窔	光
二	下	四	篹	竄
二	下	四，十二	覺	顯
二	下	八	瞭	俯
四	下	七	只見	只是
五	上	六	呪覘	詛咒
五	下	十二	密	蜜
七	上	十三	岐	歧
七	下	二	底	的
九	下	四	密	蜜
十二	下	十	底	的
十二	下	十三	的	地
十三	上	十三	想	相
十四	下	六	岐	歧
十五	（上欄首行及下欄末行均應空開）			
十五	上	三	底	的
十五	上	十二	己殺	殺己
十五	下	三，四	這不是美術的結晶，只是些兒很的惡跡！	這只是兒很的惡跡，並不是美術的結晶！

頁	欄	行	錯誤	改正
十六	上	四	由你召……罪過應	由自召……罪禍實
十六	上	十四	的	地
十六	下	十，十五	她她	牠牠
十七	上	三	她	牠
十八	上	十三	她	地
三十	上	七	得得	得多
三十	上	八	多多	得多
三十	上	十	快	快
三一	下	七，八	咒詛	詛咒
三二	下	八	掃開	掃除
三三	下	一	昏上	上昏
三三	下	六	染血的	染血般的
三三	下	十四	（落失（註二）二字）	
三四	下	三	辦	辨
三五	上	十四	（應空開）	
三六	上	六	袈裝	袈裟
三八	下	十四	銀	鏤
三九	上	二	底	的
四十	上	七	歸穩	諦聽
四一	下	三	（應空開）	
四二	上	十五	舞長袖	舞袖長
四二	上	十五	inF.	in F

中華民國十四年一月出版
（實售銀貳角五分）

日月文學社叢書

第一種

夏雨集

著作者 毛明山
發行所 明星書局
印刷所 美大印刷所
寄售處 甯波各大書局

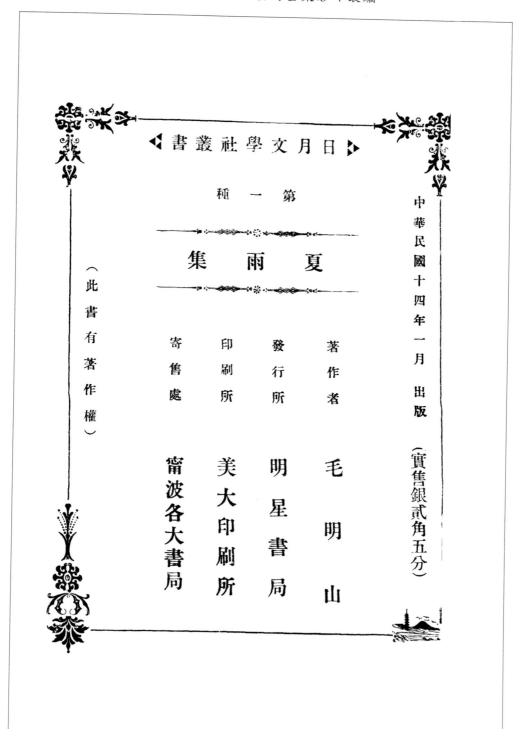

血淚之花

林仙亭 著

林仙亭（1897～1936），生於福建龍岩。

上海啟智印務公司印刷，

一九二六年一月一日初版。原書三十二開。

血淚之花

林仙亭

民國十四年春

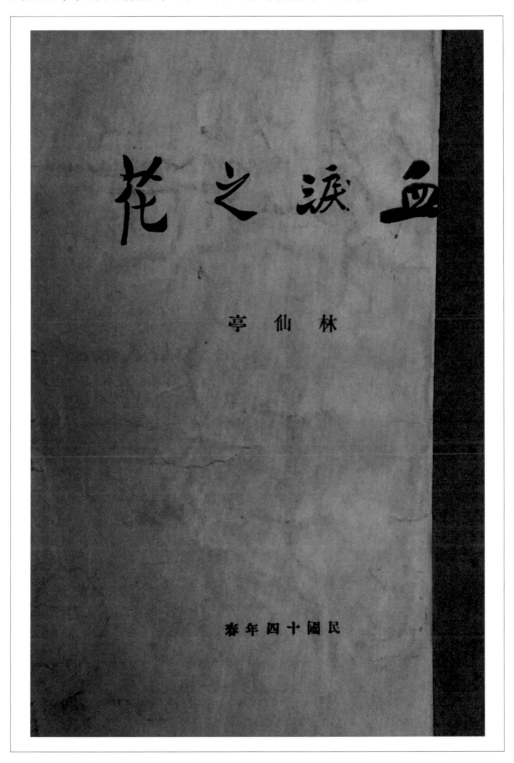

血淚之花

目次

人生
金錢
小詩三首
遊鼓浪嶼詩詩
孤獨的生活
陷阱五首
飯碗打破了
憤慨三首
海濱晚眺
觀潮
海鷗
夕陽
春去了
蛙兒

血淚之花

唉，這一田田長着的，
這一朶朶開着的，
究竟是什麼東西？
究竟是什麼東西？
哦！這原是民間的血花！
這原是民間的淚花！
這原是民間血淚的結晶品！
啊！不可說……不可說……

十三年二月十八日于同安道中

春在那裏

在這麼黑越越的地方，
從何處知道春來？
沒有帶笑的紅花立庭前；
更沒有濃抹的青山坐窗外。

在這麼寸土千金的地方，
原找不到一塊荒原，
更何有嫩綠的芳草？
在這麼烟火薰天的地方，
原看不見一棵綠樹，
更何有枝頭的好鳥？
市聲震耳，

却沒有一個鶯啼！
電燈射眼，
偏不見明月如圭！
天地永久如斯，
春究竟在那裏？

十三，三，八，于廈門

客中的春

村裏的雞聲；
樹上的鳥聲；
房中的詩聲；
好像起了同鳴，
聲聲相應。
田裏的菜花如金；
隔岸的青山在笑；
一灣流水；
幾樹碧桃；
這原是故鄉的風景——
他鄉得此，
其樂陶陶！

十三，三，九，于廈門禾山中學

海濱

山是這麼的靜；
水是這麼的平。

菜花是這麼的黃；
秧苗是這麼的青。
天邊的晚霞，
是這麼的燦爛而鮮明；
雲外的遠峯，
是這麼的秀麗而峥嶸。
飯後——我一個人，
忽然得了這幅不可言說的美景！
無思無慮，
意態酩酊。

十三，四，一○，于廈門之禾山

來船與去船

血淚之花

來的一船一船的來，
去的一船一船的去。
來的盼不得到岸，
去的盼不得離岸。
去的——載着沉重的苦痛與悲酸，
來的——載着沉重的快樂與盼望。
苦痛也罷，
悲酸也罷，
名利驅着你，
終不得不上船而獨往！
快樂也徒然，
盼望也徒然，

血淚之花

海洋隔開你，
終不得不等船到岸！
唉！整日熙來攘往，
人們究竟爲誰忙？

十三，五，一五，于廈門

呼籲

說什麼同情？
人類原是一件最冷酷的東西！
說什麼諒解？
人和人原隔着一面高厚的牆壁！
滿紙血淚，
偏說是鬼話欺人！

四

市虎杯弓，
偏要捕風捉影！
天地這麼黑洞洞地，
還有什麼光？
世界這麼冷冰冰地，
還有什麼愛？
人間這麼臭俳俳地，
還有什麼花？
痛呀！
痛呀！
我心之痛，
除了我自己，

還有誰知道呢？
哭呀！
哭呀！
我聲之悲，
除了我自己，
還有誰聽見呢？
啊，啊！
社會刻薄的輿論，
我已聽得耳痛了！
人類殘酷的教訓，
我已深受懲創了！
我要逃去人間，
但何處是無人之國？

十三，五，一八，于廈門禾山

四季歌（兒歌）

（一）

冬天去了，春天來了！
有美豔的桃花，
賀我們新年；
有輕巧的小鳥，
跟我們跳躍。
冬也好！春也好！
我們遊玩！我們歡笑！

（二）

血淚之花

春天去了，夏天來了！
有明亮的月光，
照我們夜遊；
有清涼的海水，
給我們洗澡。
春也好！夏也好！
我們遊玩！我們歡笑！

（三）
夏天去了，秋天來了！
有黃白的菊花，
可以供觀賞；
有雄大的西風，

六

可以放紙鳶。
夏也好！秋也好！
我們遊玩！我們歡笑！

（四）
秋天去了，冬天來了！
有梅花白的雪，
可以做雪人；
有雪花白的梅，
可以插胆瓶。
秋也好！冬也好！
我們遊玩！我們歡笑！

十三，五，七，于廈門之禾山

潮痕(二十四首)

一

呆坐看山。
不如登樓看海吧！
正風送潮來，
眞個是波瀾壯闊！

二

勇往的潮水呵！
你想跳上岸來，
你不絕的努力，
你畢竟達到目的了！

三

夕陽時候，
潮水來了！
最快意的是—
幾隻飽了風的帆船，
箭也似的歸去了！

四

當波濤洶湧時，
帆船上的人們，
都有點驚悸了。
惟有輕快的白鷗，
貼着水，奮飛如意！

五

血淚之花

當風高浪湧時，
我眞想怒一葉扁舟，
乘風而破浪呵！

六

潮水又來了，
看海上片片的歸帆呵！

七

大風起了，
海上的波濤，
都爭告奮勇了！

八

激起浪花片片，

八

風是何等的活潑呵！

九

雄壯的海濤，
這樣的奔騰澎湃，
但風何曾着力呢？

十

西山將落的夕陽，
氣得滿面通紅，
盡力的釘視人們一眼，
終于滾下去了！

十一

天天的潮水，

激動了人類的雄心。

十二

風怒了，
潮水高了，
正好放帆歸去呵！

十三

故鄉一樣的水，
只多些風波；
海洋呵！
你好活動呵！

十四

詩人呵，

靜默些吧！
看海潮的跳舞，
聽海潮的奏樂！

十五

一樣的潮水，
臨照了夕陽，
便成碎金片片！

十六

青年人！
從烟波浩渺的海上，
尋定了你的方向吧！

十七

血淚之花

何用做作呢？
海上波濤，
便是大好文章。
十八
茫茫的碧海，
只有靑天同你一樣偉大吧！
十九
舟子！
帆已張起來了，
前途要小心呵！
二十
小舟子，

一〇

快歸來呵！
海上正鬧着風潮呢！
廿一
海潮的起落，
一天只兩次。
人們的思潮呢？
廿二
醉夢似的人們！
你不識人生，
只看海上飄泊的小舟！
廿三
祝福你過路的行人！

你於我雖漠漠然，
但已打破了一時的寂寞。

廿四

血紅的夕陽；
碧綠的海波；
灰白的風帆；
我縱歸去，
怎能忘却你們呢？

十三，三，一〇，于廈門之禾山

月夜

一

一樣的歌聲虫語，
有了明月，
便分外的動聽了！

二

燈下—兀坐無聊，
出門看月吧！
恰好得個親切的影兒做伴！

三

月兒起來了，
蛙兒—田間的詩人，
歌唱得格外起勁了！

四

明月夜，

是誰吹簫？
這悠揚的簫聲，
引我做「故鄉之夢」了！

一三，五，八，于廈門之禾山

登觀日台

一

上有寥廓的天；
下有深碧的海；
高峯上站着一個渺小的我。
自然呵！
我要皈依你！
身外的一切，
都不值得顧戀了！

二

山下——
一片片的布帆，
一點點的島嶼，
浮泛着，飄蕩着，
許多畫意，
沉浸在烟波碧海中。

三

海天相接，
海天外的一切不見了。
絕頂高台，

披襟獨坐，
上天下地，
惟我獨尊了！

四

快哉此遊——
是汗漫，還是逍遙？
我要坐在石亭上，
于雲天迷濛的清早，
靜看紅光搖動的曉日。

五

誰曾有過？
夜黑風涼，

危台獨坐；
滿天星斗，
靜聽潮聲。

六

別了 高台！
我要緩緩地歸去了！
感謝你的偉大，
賜給我許多好景。

一三，五，一二，于廈門之禾山

小詩（二十八首）

一

杜鵑啊！

血淚之花

我已給你催回家去了！

二

油菜已收穫了；
麥苗已黃熟了；
哦，
九十日的春光，
覺一瞥就過去了！

三

洋海棠！
你爲的什麼喜事，
竟插了滿頭的花？

四

蜻蜓！
一年不見了，
今天又得再會！
蜻蜓！
快飛去呵！
小朋友要來捉你了！

五

螢火虫！
你是不是天上跌下來的星兒？

六

人們看呵！
黑夜中一點點光明的螢火！

七

一燈如豆，
在房裏坐着，
誰知外面有明亮的月光？

八

我初次聽見蟬聲時，
異常驚訝：
抬頭四顧，
春已偷偷地回去了！

九

田蛙爲什麽偏在夜間叫個不歇？
難道要無人時才敢高叫麽？

十

手指上不過割了一點傷，
便痛苦得不堪了。
那些殘廢的兄弟姊妹們，
是何等的不幸呢？

十一

兩隻鴨子，
在地上狠舒服很親密的睡着，
錯認是一對鴛鴦。

十二

蘭花妹妹
走到我耳邊低聲道：

血淚之花

「哥哥！我的身體香麼？」

十三

木蘭長得眞快呀！
不過幾十天的工夫，
便比我高得多了！

十四

窗上胆瓶正在空着，
我的妹妹
忽然送來一朵紅蓮，
我應當怎麼的感謝她呢？

十五

我們的口舌

眞笨拙呀！
想要吹牛，
總吹不出來喲！

十六

我們原是個窮儒；
偶然想擺架子，
心就先慌了！

十七

環境眞可怕呀！
你不見入水便濕的紙條兒？

十八

黃昏的好伴侶！

竹林上無歡的雀兒。

十九

南風吹來，
為何却帶些冷意？
哦，
原來是初秋了！

二十

持槍的兄弟們
請你和藹些吧
我的弟弟害怕呢！

廿一

狗兒！

請你不要再吠吧！
我的病重的爹爹
剛才睡去呢！

廿二

一個小小的
在路旁草裏蹲着的蛙兒，
冷不防一條毒蛇
悄悄地爬來，
一口把牠咬住，
牠呼出最後的悲慘的呼聲了！

廿三

明月照着，

血淚之花

涼風吹着，
田蛙叫着，
人在樓上倚着，
她——詩神——在我心裏
飄飄蕩蕩地飄舞起來了！

廿四

葵花！
我最愛你！
你永久向着光明。

廿五

蛙兒！
我最愛你！

你們處在黑暗中，
永久一齊喊着。

廿六

怯弱的綉球花，
一見了太陽，
總憔悴得不堪了！

廿七

下了一天的大雨，
小澗也變成大江的濤聲了！

廿八

荷葉上點點的水珠，
微風一來，

便留戀不得了！

病中雜詩

(1)感謝

何處見同鄉之情？
病中的我，
已深深地領着老友們的誠意了！
可是我除了一顆血赤的心外，
還有什麽可以報謝他們呢？

(2)同心

我用金錢誘惑他—小聽差
他只是臉紅紅的不作聲。
哦！
人類的心，
原是一樣的！

(註)病中對小聽差說，你伏侍我周到一點，我一天給你兩毛錢。

(3)慚愧

我不敢食—不要食的東西
拿給聽差食，
他已是歡天喜地了。
咳！
我侮辱了他！
我眞愧對他！

(4)不解

血淚之花

人類原是不可解的：
說他有情，
為什麼看見臥病的我，
卻只是冷冰冰地從我門外急急地走過去？
說他無情，
卻又有好些親熱熱地詢問病狀。
哦！
最不可解的，
原是人類。

(5)幻想

我冷到極點時，
太陽的光熱，

便加意的臨照了！
我熱到極點時，
涼快的水晶宮，
便馬上造成了！
可是冷過了，熱過了，
太陽也沒有了！
水晶宮也倒了！

(6)

我病着，我只是恐怖着。
恐怖的是—
猙獰難看的死之神，
要伸他那隻黑越越的怪手，

抓着我去了！

十三年九月廿三日於桃源

海濱落日

飽飯黃昏，
出門散步，
何來一大張絕妙的油畫，
高懸在西南山上？
紅赤赤的晚霞，
疏疏密密地，
濃濃淡淡地，
鋪在蔚藍的紙上；
遼遠的落日之方，
雲山縹渺，
烟水蒼茫；
烟雲外的景象，
更耐人細想。
一忽兒，
紅的變爲藍的了；
藍的變爲黑的了；
金光燦爛的晚霞，
一剎那便消失了！
蒼茫的更加蒼茫；
縹渺的更加縹渺；

血淚之花

一張絕妙的油畫，
不提防又被誰收了去？
哈！
好一幅活動的油畫！
好一幅天然的油畫！
好一幅不可捉摸的油畫！

十三年十一月十三日於禾山馬路

人生

什麼是人生？
什麼是目的？
世界的人們
都只是匆匆忙忙地

二二

一天一天沒意義的挨過去，
一直忙到最後的一息！

十一月廿七日燈下於禾山

金錢

你愛名譽，
你又愛金錢；
二者不可得兼，
只有把「名譽」犧牲了！
你要有人格，
你又要有金錢；
二者不可得兼，

只有把「人格」賣却了！

你有良心，
你又不能無金錢；
二者不可得兼，
只有把「良心」丟掉了！

啊！我不咀咒金錢，
我只痛恨這不通的制度！
我只厭惡這無理的買賣？
我只可憐這愚笨的人們！

一三，一二，一四，晚

小詩

血淚之花

(1)
太陽尚有照不到的地方；
無如夜之偉大，
黑暗是籠罩全世界的。

(2)
黑漆漆的夜裏
天空閃着幾顆星，
這就是給人們的一點光明。

(3)
寒天獨睡，
無人可語，
村裏演戲的鑼鼓聲，

也是孤寂中的安慰者！

一三，一二，一五，枕上

遊鼓浪嶼雜詩

(1)

過來——廈門
過去——鼓浪嶼
在過來與過去的當中，
許多人們，
一天天都不經意的消失了！

(2)

住在嶼上的人們
算是很有錢，

算是很快樂，
然而自私與貪婪，
也是洗不掉的汚點。

(3)

俗氣滿身的我們，
今天來遊日光岩；
好像泥濘裏的鴨子，
游泳于清泉白石間。

(4)

一個二十多歲的婦人
在觀音菩薩座前
深深的拜，

微微的語；
訴說了無限的心事，
祈求了無限的願望；
然而座上的菩薩，
只是低眉不語呢！

(5)

請恕我吧！
石頭上一對喁喁私語者。
我們這麼悄悄地走上來，
太冲撞你倆了！

(6)

最使我欣然色喜的
是日光岩後面的田野，
有黃的牛，
有青的菜，
農村的氣味盎然：
於此認識了平安甯靜的生活了。

(7)

許是普遍的感覺吧：
到了鼓浪嶼走走，
總不免有些戀戀；
一過廈門來，
又不免有些悵悵。

一三，一二，一五，

孤獨的生活

孤獨的生活，是何等空虛而冷淡！孤獨的人，好像失群的哀鳴的孤雁；好像站在高峯上的沒人注意的破塔；好像深山古刹的冷清清的初出家的和尙；好像失了母親甜蜜的乳汁的嬰兒；好像中途落伍獨行踽踽的旅行者；好像飄流荒島的魯濱孫；好像配遣西伯利亞的俄國罪人；好像……

當一對情人，親親熱熱地在園裏並坐而談，在路上攜手而走時，孤獨者看見了，是怎樣的妬忌而埋怨！他們倆在孤獨的人前，實在太驕傲了！太輕薄了！

當朋友們津津有味的敍述自己甜蜜動人的情話，敍述自己溫柔旖旎的情史的，孤獨者聽見了，是怎樣的厭惜而鬱悶！他們在孤獨的人前，實在太無忌憚了！太無同情了！

當一個嬌滴滴的香氣襲人的處女從他面前經過時，他是何等的醉心而癡想！

當一個笑嘻嘻的天眞爛漫的孩童走到他跟前時，他是何等的欣悅而悵惘！

呵！孤獨的人，是這麼的無聊賴，孤獨的生活，是這麼的空虛而冷淡！

十四年一月一日夜四時

陷阱

於廈門桃源學校

(1)

人們故意設下了許多陷阱，
引誘一般血氣方剛的青年，
一個個陷落下去；
却又板起臉來，
不負責任的尋求他們的不是。

(2)

人間處處都是陷阱：
你縱極小心的一步一步的慢慢走，
你終不能避免途中的失足。

(3)

可憐失足的路人！
你在旅路上跌落陷阱時，
你熱烈地盼待人們的扶救，
却僅僅聽着幾聲冷笑。

(4)

墮落陷阱的人！
你在井底呼救時，
路人探頭一看，
却依舊匆匆地去了！

(5)

失足的不幸者，

血淚之花

你休要聲張！

有人要乘你落井而下石呢！

十四年一月

飯碗打破了

誰說教育神聖？許許多多的辦學者，都是有所為而為之。

誰說教員高尚？許許多多的無恥教師，都只知諂媚校長而已。

誰說優勝劣敗？良教師走了，不良的教師偏偏留着。

唉，現在一班不識時務的空談教育神聖的言論家，只有給人齒冷罷了！

二八

現在幾個高尚的知恥的良教師，只有挨餓罷了！

啊，你，你各果要吃人間的飯，就不應該保全你的人格，而打破你的飯碗呵！

一四，一，一三。

憤慨

(1)

現在真是俗到極點了！

萬般好景，

都在眼前，

却并不能引起我的詩思。

(2)

現在神經眞是麻木了！
眼見許多可悲可恨的事，
都只是淡然漠然。

(3)

現在思想眞是卑鄙極了！
種種思念，
都離不了金錢。

一四，一，二九。

海濱晚眺

獨自一人，站在這海邊晚眺：
東風戲水，海波微綃；
鳶兒在飛；魚兒在躍；

馮夷在把我手招；
鮫人笑待我擁抱；
擁抱，擁抱，
我要求你給我洗個澡。

觀潮

潮水要來了，快到海濱去！
一時的高興，把我送上鎮北關的城頭，
聽說是海邊的險要地。
哦！一波未平，一波又起。
潮水呀！你們多麼有趣！
小舟的帆正張；

血淚之花

白鷗在波面翱翔；
遠近的山莽蒼蒼；
平鋪的沙土，留着潮痕；
百沸的潮頭湧起雪浪。

哈，哈，上是蔚藍的天宇；
下是深碧的海洋；
天海之外，
只是蒼蒼茫茫；
只是浩浩蕩蕩。

海鷗

海鷗！海鷗！

我欣羨你！我愛慕你！
你穿着雪白羽衣，
在碧海上任意翱翔。
飛呀！飛呀！
碧茫茫的大海，
隨處是你的家鄉。
你在波面一浮一沉；
你從天外飛來飛往。
你是海上的驕兒；
你是波波的仙子；
你是自由之王！

夕陽

一顆火球般的夕陽，
擱在一團棉絮般的雲霧上。
留戀，留戀，徬徨，徬徨，
終於漲紅了臉，悻悻地下去了！
只遺留着一片桃色的雲，
烘映在烟波靉靆的西方。

春去了

說什麼春來春去？說什麼花開花謝？
天地永久是美麗的，自然永久是新鮮的；
草無地不是青，花無時不在笑，鳥無日不在歌；
林木永是葱蘢可愛，海洋永是跳舞奏樂。

聽呀！鶯妹妹「春之歌」唱得倦了，
讓蛙哥哥高吟「田家樂」的詩；
蛙哥哥吟得倦了，
讓蟋蟀姑娘月下彈琴；
大家倦了，便一齊歇一下。
看呀！牡丹小姐憑欄佇立久了，
陶女士又在庭前靜坐凝思；
陶女士去了，蓮先生又站在田中默笑
蓮先生站得倦了，
黃花居士又在籬畔徘徊；
居士高臥去了，

血淚之花

梅夫人又淡妝素服從雪裏嬝娜而來。
偉大的自然，天天在創造；
活動的自然，天天在變化。
我，我真陶醉極了，我真愛慕極了！
誰說春來春去？豈知天地長春？

一九二五，四，二五
廈港，仰范

蛙兒

休要討人厭呵！蛙兒！
一切衆生正把一重重的鐵門關起來，
在黑暗的王國裏酣睡：

正在做他們喜洋洋的甜蜜蜜的好夢；
你懇切的語言，他們何曾聽見？
你緊急的警告，他們何曾曉得？
你何苦叫喊不停？白費了你的氣力！—
可是，愛護世界的蛙兒，
依舊是叫着，喊着；
渴睡的一切衆生，
依舊是睡着，夢着。
蛙兒一直喊，一直望，一直等，
等那光明的使者—朝陽：
等到他睡醒了，起來了

敝帚

自序

我以前所作舊詩，本無發表的意思。因友人主張文藝無分新舊，如果做的不錯，都可發表，所以選錄若干首如下。題曰敝帚，亦未能割愛之意云爾。

一九二五，一，二六，

仙亭識於廈聲報社

民國三年

送友南渡

知交一樣苦清貧，此日分行淚濕巾，聯句論文成往事；乘風破浪壯斯人。黃金有價求宜節；文字無靈棄莫珍。別後故園征寥落，望君海國寄書頻！

采蓮曲

雲鬟對鏡理；結伴采芙蕖；流風緣底事，吹我碧羅裾？我看花自笑，花對我無言；纏綿不盡意，脈脈向誰論？

傲　寄

民國四年

年華

年華如箭離弦急，轉瞬朱顏白了鬚！笑殺營營求利客，光陰曾得買來無？

夏居

六月歸鄉里，蕭條興轉賒。看書能度日；汲水愛澆花。暑倦閒眠榻；風涼夜聽蛙。有時思往事，月影半窗斜。

夏晚

信步來溪岸，陰涼密樹遮。農人忙未了，叱犢夕陽斜。

一

敝帚 三

楊妃

臨邛道士覓嬋娟，海上相逢寄舊鈿。莫道紅顏多薄命，紅顏今已做神仙。

佳人

貌果如花天亦妒，生來早孕幾分愁。可憐此例無差錯，做到佳人不自由！

懷子猷

月漸闌珊人驟散，襟懷無限更傳誰？紙窗獨坐燈如豆，正是前宵話舊時。

重陽

蕭條故里逢佳節，對此茫茫百感增。戲馬台前無客到；滕王閣上有誰過？風高雁遠書難寄；葉老花黃我獨登。風味蕭然何所似？蜉蝣寥廓一詩僧。

寄子恢

中夜懷人千里月；三更獨對一籬花。關山極目煙雲斷，悄立無言北斗斜。

廋語

偷將廋語向渠挑，羞臉微紅一線潮。笑指中庭明月下：雙雙蝴蝶宿花梢。

記得

清泉修竹美人家，第一風流便數他。記得香鬟鬟上物，水晶簪子又梅花。

解語

豔絕春風解語花，畫樓讀畫繡簾斜。伴羞不見還相見，暈臉潮紅一線霞。

民國五年

送春

無情風雨半天飛，斷送群花盡落泥。何處流鶯偏解事，送春不惜盡情啼？

晚霽

落花時節雨淒淒，野草濃妝綠上堤。好是初晴閒望處，白雲紅破夕陽西。

初晴天半臥長虹，倚檻成詩句未工。遠望青山新浴後，夕陽斜照白雲紅。

即景

燕歸花落晝添長，覺得南風亦快涼。半是天明天又晦，滿天微雨洒斜陽。

登塔

四面青山入畫中，巍然一塔欲摩空。歸來笑向旁人說：帶得登高兩袖風。

晚村

晚村處處淡煙籠，野鳥高飛入半空。雨收登山山色好，登臨人在畫圖中。

東山即景

縱橫風雨入樓多，處處青山失翠螺。農父兩三耕綠野，隔江猶自背煙蓑。

敝帚　四

江邊綠野有閒牛，雨後青山遊入樓。正是憑欄凝望處，歛聲柔櫓下輕舟。

晚鐘打處雨初收，風動荷傾葉上漚。陌上有聲遙相應，牧童三五喚歸牛。

半林蟬語帶斜暉：洛水鷳鷗上釣磯。舟子雙篙輕用力，半江秋水片帆歸。

登虎嶺

山愛登其頂；俯觀攬市垣。歸牛渡水穩；吠犬隔林喧。野婦呼山豕；炊烟起暮村，歸途且緩步，遠處聽潺湲。

遊東寶山

尋勝招遊伴，行行入畫圖。風塡深谷響；雨過遠山無。石筍樓前掛；烟村脚底鋪。爲貪風景好，臨去復踟躕。

（註）山上有雙石如神筍，鄉人名之曰玫环石。

夏夜

晚飯黃昏後，曲欄取夾涼。更深淹響瀨；池靜倒懸星。蛩喧起野岸；林密透疎燈。別有堪聽處，鐘敲古寺僧。

故園

退守田園好避喧，山禽山月伴晨昏。天清江水拖藍色；野霽新秧長綠痕．遠碓有聲時響夜；老牛無牧自歸村。遙憐大地壓氛强，廬作農夫不出門。

七夕後一日送友進省

離魂黯黯不勝愁，攜手河梁淚欲流。燕子已歸傷遠別；荷花漸謝報新秋。十年風雨空勞夢，萬疊雲山怕倚樓！天上人間原一例，今朝何暇笑牽牛？

贈友仙

故人何處去？聚散在斯須。願陳一樽酒，送子且爲娛：一樽雖易得，明日不復俱。鞭箠昔同策，今讓子先驅。先驅須着力，着力向長途，長途日漸遠，遠隔天海隅。海隅難相見，執手步踟躕。去去望弗及，勉强自傾壺。寄語思無益，努力愛君軀！

暮雲

天際有暮雲，暮雲將何之？舒卷無定心；濃淡隨意爲。隨風緩歸去；與山無盡時。薄處生蟬濡，山色橫翠眉；高處散野烟，人家起晚炊。蛙鳴雜斷續，閣閣水之涯。

人影

仰視在天月，俯看在地影。何爲兩相隨？此中有妙境。

白雲

山頂白雲多，小兒問我故：雲自何處來？雲自何處去？

相逢

相逢一笑兩相攜，並坐床前半下帷。臨別殷勤羞把袂，聲聲問我再來期。

山村

山村處處有梅花，恍惚西湖處士家。不辨籠烟與蒼雪，數枝疏影夕陽斜。

民國六年

漳平登高明山

西山絕頂快登臨，恰有涼颸好放襟。一邑人家羅眼底，半帆舟影蕩波心。虹橋如線横江臥；春水拖藍遠岫沉。可恨東山好似畫，此行未向畫中尋！

春雨

日夜風兼雨，雨霽春山破。百雲懶未起，猶在半山臥。

風雨覺春寒，白雲四望合。何處認前山？雲尖露雙塔。

題畫

遠山淡更遠；春水碧於油。竹橋烟樹外，一葉釣魚舟。　—春江捕魚—

秋風雨岸葉初飛，樹裏人家半掩扉。戴笠樵夫真得意，月明緩步板橋歸。　—秋江月餞—

民國七年

薄命曲

杜宇當春啼；梨花帶雨泣。妾恨無人知，長自淚痕濕。

柳絮千條舞；桃紅一樹紅。美人怨遲暮，一向誤東風。

殘春

殘春漸有清和氣，阡陌之間滿蛙聲。衛衛架畔有人影，獨立東籬看月明。

東風

東風颯颯小樓寒，衣薄更深怕倚欄。行到中庭明月下，低頭自把影兒看。

明月

歛帚

月明如晝涼如水；蛙鼓歡呼不夜城。獨起倚欄望山色，鄰家吹笛一聲聲。

集翠樓

幽思客感亂如絲，集翠樓前不自支。此夜憑欄尋舊夢，大家正是上燈時。

美人

美人暗恨有誰知？繡字窗前只淚垂。彈指空中樓閣現，獨飛雲表唱高辭。

美人春睡初起時，香鬟撩亂眼迷離。陌上垂楊惹情思，強將玉笛對樓吹。

美人曉起臨鏡時，梳頭更畫遠山眉。尋常釵鈿都屏去，但插梨花一二枝。

長嘯

狂風暴雨一齊來，暑極生涼亦快哉！晚霽白雲眠未起，登樓長嘯衆山開。

贈一鷗

如虹之氣初無變，人海沉淪心漸降！駑馬不前甘伏櫪，讓君擊楫渡長江。願君爲鼍我爲害，聲影相從亦快哉！歸去爲余懸一榻，清風明月訪君來。

贈劍禪

松洋十里松花香，中有高人乃姓楊。楊子告余以將去。秋風如水滿松洋。廖天山下有高廬，故人別我將還居。山高水淺無舟車，欲往從之轉愁余。

男兒

男兒志不在封侯，慷慨悲歌燕趙遊。叱起長鯨東渡海，持刀殺盡國之仇。

夜倚

虫聲唧唧倍添愁，客裏難眠夜倚樓。雲踏風涼天地黑，沉沉如海數燈浮。

思家

亂離天下遍，故里暮雲愁。南北方塵戰，干戈苦不休。音書勞夜夢，風雨阻歸舟。客恨其誰語？仲宣怕倚樓。

踏月

東山月未出，西山已先白；月輪漸漸高，
大地同一色。四人緩緩行，草蟲聲喞喞；
繁星閃而明，流螢飛復息。

秋溘

秋風翦蕉葉；秋雨灑秋山；秋氣豁然爽，
積塵萬斛删。蟬鳴漸淒切；江楓頓朱殷；
却顧山中木，蒼松獨堅頑。其下有幽澗，
細流聲潺潺。盤桓成獨笑，俛仰竟忘還。
俄然明月上，斜挂一鉤彎。蟋蟀話涼夜，
喞喞敗牆間。

熱血

星自何時光？星亞何時滅？明月圓復圓，
月明缺復缺。地體圓如球，萬物附其側。
何能不相離？地心有吸力。吸力何自生。
生於地心熱。滄海變桑田；六月飛霜雪，
一旦地心冷，萬物難固結。仙子雲中來？
還我一妙訣：地冷且莫憂，人心不可鐵；
人心奈之何？滿貯腥紅血。集心成地心，
熱血無時絕。

民國八年

自君之出矣

自君之出矣，東風花漸開。妾心如杜宇，
天涯處處催。

散書

自君之出矣，春寒香衾冷。思君無聊賴，孤眠空抱影。

自君之出矣，花開愁亦懶。思君如望明，何時得圓滿？

自君之出矣，不復臨鏡台。思君若大旱，雲雨殊未來。

自君之出矣，詩書不寓目。忽得金玉音，不厭百回讀。

自君之出矣，不復弄文辭。昨宵得佳夢，含笑報君知。

幻想

不經苦海無仙島；不入地獄難飛昇。嘗盡人間甘苦味，飄然歸去一山僧。

一〇

民國九年

題凌霜龍川獨步圖

靜坐裁詩欲寄誰？凌霜以影索題詞。半江秋水何清淺？正是蒹葭白露時。

古塔小橋都黯淡；遠山近水更模糊；江邊添個人癡立；一幅龍川獨步圖。

民國十二年

樓居

樓高可望海；雨後好與山。靜坐無思慮，客心清且閒。

客况

涼夜守空齋，客情紛不歡。獨居有誰伴？
秋風與明月。

贈徐玉諾

魯山一詩人，其名曰玉諾。聞名不見面，
自歎緣分薄。一朝得握手，天涯誠極樂。
鷺江少奇才，君如雞羣鶴。曲高和自寡，
所處殊落落。不久將他去，客中益索寞。
悲我困風塵，憐君長飄泊。但願放奇葩，
努力創佳作！

亂世哀吟

敝　帚

長官且不怕，何有於軍令？進入亂開槍，
打死不償命！
家家門緊閉；處處犬狺狺；軍隊拉夫急，
那管讀書人？
一聞軍隊此經過，男女倉皇閃避多。刼奪
奸淫惟所欲，小民懦弱奈他何？
地瘠民貧敲剝盡，武人慾壑總難填；軍需
公債催收畢，又借錢糧十五年。
布告煌煌通種烟，無如民志十分堅。要錢
司令異多法，改飭徵收地畝捐。
槍聲拍拍滿城中，丘八沿街逐店攻；槍後
拉人挑送去，可憐十店九成空。

秋思

散帶

秋深易起故鄉愁，遠望家山獨倚樓。天半聲來排字雁，音書帶得到家不？

與逸民渭雲遊鹿洞虎溪二勝

異地名山作壯遊，聯翩冒雨縱吟眸。蒼松怪石堅頑存虎鹿無聲水自流。

民國十三年

登樓

駘蕩東風欲醉人，登樓飽看鷺江春。遠山近水都如畫，更有孤帆掛海濱。

一三

遊雲頂巖

海山入眼太匆匆，欲寫新詩總未工。合向名岩岩上住，曉看旭日一輪紅。

登觀日台

勝地聞名久，今朝始快臨。台高宜遠眺；風快好披襟。村舍平鋪蓆；烟波綠漲深。家鄉何處是？客子最關心。

洞壑自清幽，峯高去放眸。烟濃帆影沒；海闊鷺水浮。隔水華山立，登台一望收。金門何縹渺？彷彿是仙洲。

峯高台小獨登臨，四面風多好放襟。忍看烽烟驚海內，限無杯酒壓愁心！家鄉縹渺千山隔，海國荒茫百感侵。異地棲遲吾倦矣，不如歸去守園林。

春晚

片帆紅似葉；遠岫淡於雲。最愛樓頭立，平波瀲薄曛。

夏晚

隔海一燈似豆；半天新月如眉；大地沉沉在睡；繁星閃閃看誰？

紀夢

悼亡經半載，遠客有餘哀。慰我心中恨，姍姍入夢來！為郎憔悴甚，何幸笑顏開。夜雨相思夢，醒來百念灰。四山雲霧鎖，背手獨徘徊。恨無返魂術，悲吟淚滿顋。

歸來

歸來衾枕冷，滿腹是悲酸。為有雙親在，淚多不敢彈。

欲向坟前哭，不知何處埋？青山空悵望，愧我遠歸來！

恨與山俱在；魂隨雲共銷。還誰語幽怨？暗裏自心焦。

血花

靜雨

散人

閒

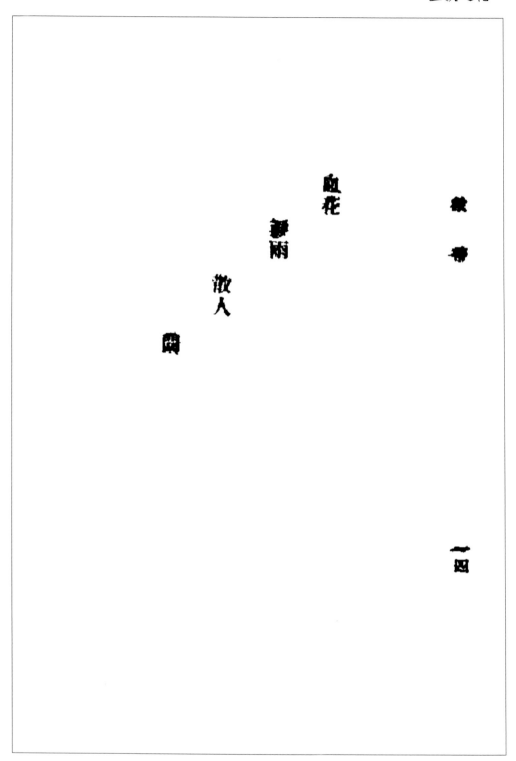

民國十五年一月一日初版

每本實價大洋五角

著作者 龍岩林仙亭

印刷者 上海啟智印務公司

經售處 國內各大書坊

特約處
廈門大學編譯處脩子猷
廈門江聲報館陳少微
集美學校師範部鄧錫蕃
漳州農工銀行陳榮桂
龍岩東平學校黃耐冰
龍岩桐岡學校張放人